落合陽一

デジタルネイチャー

生態系を為す汎神化した計算機による侘と寂

PLANETS

デジタルネイチャー　生態系を為す汎神化した計算機による侘と寂／目次

第4章 コンピューテーショナル・ダイバーシティ 161

デジタルネイチャー下の市民社会像、言語から現象へ

カバー写真提供　ＴＤＫ株式会社とのコラボレーションによるアート作品『Silver Floats』
ブックデザイン　鈴木成一デザイン室
本文ＤＴＰ　池田明季哉
編集協力　菊池俊輔、長谷川リョー

デジタルネイチャー

生態系を為す汎神化した計算機による侘と寂

まえがき

2017年の秋口の深夜、スマートフォンが産声をあげて10年後の世界だ。ハイビームを焚いて走行する車内から、窓の外を流れる景色を眺めている。夜霧の闇は深いが、水蒸気に照らされて散乱する光は、真昼のような明るさだ。エジソンが電灯を発明してから150年後の地表は、エネルギー変換効率の高い新光源[注1]の普及によって、昼夜を問わず可視光線に満ちた世界になった。

フロントガラス越しの風景がどこか二次元的に感じられるのは、映像誕生以後の人類である僕が、窓越しの風景を画面越しのように認識しているためだ。光の届く距離が限られる霧の中、僕という個人の存在は可視光的に覆い隠されている。

深い暗闇の中、曲がりくねった山道で、運転手は注意深くステアリングを切る。可視光が闇の中に切り拓いた領域が、上書きされては消えていく。カーブを曲がると、遠方の対向車のライトが届くのがわかる。あいかわらず視界は閉ざされているが、おそらく長い直線の中にいるのだろう。差し込んだ光の周囲に広がるのは、エッジの柔らかい散乱光だ。

静止しているようにも感じられるが、速度計によれば、確かに時速40㎞。淡い乳液のようなミー散乱[注2]の中を、僕は走っている。空間の至るところで発生する光の散乱は、ハイビームとその影による直線を空気中の水粒子に描き出し、色を持たないフォトン[注3]の影を黒色のビームのように錯覚させる。山中の冷ややかな空気の中、僕は可視光の海の中にいる。均一に濁った、それでいて波を感じないほどに穏やかな、さらさらとした海だ。

運転手の身体は、ステアリングホイールを通じて機械に接続されている。ホイール

注1　発光ダイオード（ＬＥＤ）や有機発光ダイオード（有機ＥＬ）などの照明技術のこと。１９９０年代の青色ＬＥＤの発明以降、照明機器として急速に広まった。主に半導体製造プロセスに則り製造される。
注2　微細な粒子によって発生する光の散乱現象のこと。雲や霧などの波長によらず白色散乱を起こす性質のこと。
注3　光子。光を構成する素粒子。粒子と波動の特徴を併せ持つ性質がある。近年コンピュータの業界でも光コンピュータの研究事例が増えている。

を手足のように操り、ブレーキを踏み込んで減速、曲線的なコースへと車体を滑り込ませる。濃霧のもたらす散乱は視認距離をどこまでも短くするため、この曲がりくねった道路の先に何があるのか視覚からは確認できない。目的地までの道のりは、カーナビゲーションシステムとガイド音声だけが頼りだ。僕は今、ＧＰＳ衛星から発信されたシグナルと、カーナビのデータベースを通して、乳白色の海の中にいる自分を見ている。可視光の散乱する海の中でも電波は常に届いている。

霧に覆われた世界の中で考える。僕は今、感覚器の環境要因による機能不全を、電信系・外部記憶装置・モニターといったテクノロジーで補い、それを身体の一部のように感じながら進んでいる。その世界に手触りはなく、音と光の仮想的な情報から実在を感じ取っているに過ぎないが、カーナビに表示された電子の地図は、僕にとっての第二の山道であり、信じるに足る〈計数的な自然〉[注4]なのだ。その反面、本当の自然であるはずのフロントガラス越しの風景は、どこかリアリティに欠けている。それは僕が信じている〈計数的な自然〉を追認する二次情報、体感としての〈映像的なもの〉に過ぎない。

今、僕の信頼は、静止軌道上の衛星から送られてくる情報とデータベースに託されている。この〈計数的な自然〉への信頼は無意識的だが、深く、そして疑いようがない。それは、肉眼では歩くことさえおぼつかない乳白色の霧の中、よどみなく車が走行している事実によって裏打ちされている。主観的な映像が意味をなさず、己の存在を客観的にしか把握できない暗黒と白色光の中に、僕の意識は浮遊している。

山道の先にあるのは小さな宿場町だ。約2年ぶりとなる硬質なテーマの本の執筆が佳境に入ろうとしているが、そんなとき僕は、日常からかけ離れた場所に一定期間、篭もることにしている。3年前は熱海の人里離れた山奥の旅館で『魔法の世紀』[参考1]を脱稿した。日々の喧騒から切断された時間と空間に身を置いたときに感じられる、自分を遠くから眺めるような三人称的な感覚と主観的認識のギャップ。その狭間に思考を漂わせるのが、僕は好きだ。

すなわち〈計数的な自然〉――デジタルネイチャーへと没入した思考を、絶え間なくキーボードに打ち込む。モニターと網膜は結像関係にあり、指は思考を先取りして打鍵し、予測変換は知覚より先に次候補をサジェストする。機械と統合された身体は情報を生成しながら、同時に衛星軌道上から届く情報を頼りに、深い霧の中を突き進

注4　高度に発達したコンピュータは、社会に偏在する段階（ユビキタス）を経て、自然と融合した新しい生態系として地球上を覆い尽くすことになるだろう。本書ではこのヴィジョンを〈計数的な自然〉または〈計算機的な自然〉あるいは〈デジタルネイチャー〉と呼ぶ。

む。デジタルの自然がもたらす生態系の中で、僕の意識は一人称と三人称の間を往還し、身体は思考機械と移動機械を架橋している。

〈自然〉と〈デジタル〉の融合。寂びたデジタルが行き着く〈新たな自然〉。それは東洋文明が育んだ感性を端緒としたイノベーションになるはずだ。唯一神を持たず、近代的な〈主体〉や〈個人〉の概念[注5]に囚われない古典から接続された東洋的エコシステム[注6]は、思考や情報のトランスフォームをさまざまな形で可能にする。その一例が、今まさに僕が置かれている状況だ。可視光が届かない深い霧と暗闇の淵にあっても、現在位置は常にスマートフォンアプリケーションによりクラウドに捕捉され、AirPodsは鼓膜と外界の間で僕の肉声をトレースしながら、「Hey Siri」のコールを待っている。人間の周囲にある「外在的な自然」と、筋肉や感覚器などの「内在的な自然」は、デジタル世界を間に挟むことによって、調和し完結している。

　視界の片隅で明滅しているスマートフォンとスマートウォッチは、いずれスマートグラスに置き換えられるだろう。そこでは視界のすべてを覆い尽くすフォトンの海を通じて、世界を認識することになる。

　遠からぬ未来、人類はフォトンと空気振動が媒介するネットワークへと接続される。それはイルカやクジラといった海洋哺乳類が、超音波による音響通信とエコーロケーション[注7]を、〈海〉の媒介によって可能にしているのと、よく似ている。そのとき人類[注8]は、視聴覚が完全に被覆された〈デジタルの自然〉へと至るのだ。

その先にあるのは、五感の被覆により、モノの実在感すらもデジタルで再現される世界、つまり物質性・空間性のコンピューテーショナルな相転移[注9]だ。データが〈モノの実在性〉の軛《くびき》を超越し、情報体でも物体でもない〈幽体〉[注10]として、自由に変換され

注5　今日使われている「主体」や「個人」といった概念の成立は18世紀に遡る。１７８９年のフランス革命を端緒とする近代の黎明期、ルソーら啓蒙主義者たちが創出し定義したこれらの概念は、今日に至るまで自由主義や民主主義の根幹として機能している。

注6　西欧で発生した資本主義は産業革命を契機とする大量生産とそれに付随する消費社会を生み出したが、東洋文明では資源が循環するエコロジカルな経済圏を形成した。日本の江戸時代の社会構造や勤勉革命はその典型例。

注7　インターネットとワイヤレスネットワークによるヒト同士の通信は、海中でハクジラが行う音響信号を使ったコミュニケーションと極めてよく似たネットワークを構成しうる。

注8　本書では人類・人間・ヒト・人という言葉が頻出するが、「人類」は進化論的存在、「人間」は社会的存在、「ヒト」は生物学的存在、「人」は文化的存在、という意味で使い分けている。

注9　現在のコンピュータは、人間の視覚や聴覚といった部分的な感覚を低解像度で仮構する機能に留まっているが、将来的には触覚を含めた全感覚を代替し、物質それ自体の直接出力を行うことができるようになる。そのとき、人間は物質性や空間性の軛から解き放たれることになるだろう。

注10　肉体や記憶や人格の完全な仮想化によって、人間存在は時間や空間の障壁を超えて、あらゆる時空間に存在するようになる。この物質性の軛を超えた情報存在としての知能の形を、本書では〈幽体〉と呼ぶ。

る時代が訪れるだろう。

So gibt uns die Natur schon in ihrem materiellen Reich ein Vorspiel des Unbegrenzten und hebt hier schon zum Teil die Fesseln auf, deren sie sich im Reich der Form ganz und gar entledigt.[参考2]

18世紀の思想家であり詩人のフリードリヒ・フォン・シラー[注11]はその詩の中で、植物は余剰エネルギーを大地に還元するが、動物は余剰エネルギーを運動に転換することで、自然界の物質的束縛を断ち切り、より自由になるべく姿を変えていくと詠った。

彼のいう「植物の余剰」と「動物の余剰」は、現代においては「機械の余剰」、つまり人工ニューラルネットワークによる神経系の構造の外在化[注12]と、そこから生み出されるリソースに置き換えられる。「計算機的余剰」から出現する〈新しい自然〉。シラーが植物と動物の比較によって〈自由〉を言祝《ことほ》いだように、そこでは生物と機械の対比によって見出される、新たな思想のあり方が問われている。フランス革命に端を発し、啓蒙主義者たちによって定義され、前世紀を通じて世界中に拡散された〈自由[注13]〉という概念。しかし、今我々が当たり前のものとして享受している〈自由〉は、本当にそう呼ぶに値するのか。それは、個人あるいは共同体の主観によって定義された不確かな根拠に過ぎないのではないか。古代以来の自由意志と決定論を巡る問題の解決をみないまま、自身の感覚器と記憶による判断と、センサーとデータベースに由来する計算機的判断の境界に立たされている今の人類に、それが〈意識的〉あるいは〈無意識的〉だとしてもそもそも〈自由〉などありえるのかという問いを歴史は繰り返していた。

現在の社会で自明とされている〈人間〉[注14]〈社会〉[注15]〈幸福〉[注16]〈国家〉[注17]といった概念は、18世紀に西洋で確立された〈個人〉と、そこから敷衍《ふえん》された社会契約論や自然権に由

注11　18世紀末に活躍した詩人、劇作家、思想家。ゲーテと並ぶドイツ古典主義を代表する作家であり、後の自由主義やロマン派の成立に大きな影響を与えた。ベートーヴェン交響曲第9番「歓喜の歌」の作詞者としても知られる。

注12　人工ニューラルネットワークとして知られる生物の神経細胞の構造を模倣した数理的モデル。1943年にウォーレン・マカロックとウォルター・ピッツが発表した形式ニューロンから研究が始まり、2000年代に入ると多層ニューラルネットワークによる深層学習の登場で、時空間フィルタのような統計処理は人工ニューラルネットワーク上に外在化された。

注13　近代的〈自由〉の概念はフランス革命の「自由、平等、友愛」のスローガンを端緒とする。啓蒙主義時代にJ・S・ミルやジョン・ロックによって確立された自由主義は、今日では政治的・経済的に完全な自由を標榜するリバタニアリズムにまで拡張されているが、その定義や適用範囲については現在も議論が絶えない。

来している。それから約200年、計算機時代の市場経済や、人類種の機能拡張を前提とした新しい思想は、未だに登場していない。

近代に発明され、今もなお我々を束縛し続けている理念は、それを根底で規定している構造、つまり〈言語〉の制約[注18]を突破しない限り、アップデートは不可能だろう。言葉が本来的に備えている「情報の圧縮」や「フレーム化」といった機能を代替する、新しい理解のモデルが求められているのだ。End to End(エンド・トゥー・エンド[注19])。末端から末端、現象から現象へ。言語を経由しない直接的変換によって、意味論の外部で現象を定義し、それを外在化する方法に辿り着かなければ、西洋形而上学の枠組みの中で、本質から疎外された言葉遊びを永遠に繰り返すことになるだろう。

東洋文明では、言語を超越する認識のあり方を、長い歴史の中で発展させてきた。だが、西洋近代知に支配されたこの社会は、その非言語的な本質を言語的に定義しなければ批評性を得られない矛盾を生み出した。この〈言語〉という〈フレーム[注20]〉によるゲームは、不完全な解釈によって常に成立しえない可能性がある。

しかし、近年の計算機技術の発展は、言語を介在せずに現象を直接処理するシステムを実現しつつある。人工ニューラルネットによる事象の非言語的変換[注21]は、現象同士の直接的な関係性に基づいた統計的な情報処理手法による外在化が可能であることの、確かな手がかりの一つだ。

注14 〈人間〉はキリスト教世界においては長く「神の似姿」とされてきたが、17世紀以降、動物との対比から人間存在を科学的に定義する動きが広まり、19世紀のダーウィニズムへとつながる。一方、啓蒙主義時代には社会的人間は教育が生み出すという思想（ルソー『エミール』など）が確立され、近代以降の人間観に強い影響を及ぼしている。

注15 〈社会〉の成立条件は17世紀以降の近代思想の最も重要な思想的課題の一つであった。ロックやホッブズ、ルソーは文明以前の架空の自然状態を想定し社会が誕生する必然を説いたが、その影響は（例えば人権思想の根底に社会契約の概念があるように）今日の諸制度および人間の定義に深い影響を及ぼしている。

注16 近代の〈幸福〉観の画期は、19世紀の功利主義者ジェレミ・ベンサムの「最大多数の最大幸福」だろう。社会全体の〈幸福〉を、定量的に観測し増大させる思想は、その後、〈幸福〉の定義の困難に突き当たり、ロールズの「無知のヴェール」的な、不幸を最小化する社会思想へと転換し、近年でも議論が盛んに行われている。

注17 近代的な〈国家〉の起源は1648年のヴェストファーレン条約まで遡る。カトリックとプロテスタントの三十年戦争を調停したこの条約は、ローマ教皇が司る宗教的支配の終焉を告げ、〈国家〉の枠組みによる新たな国際秩序を西欧に成立させた。

注18 〈言語〉が人間と社会を根底で規定するという思想は、20世紀初頭にヴィトゲンシュタインによって見出され（「語りえぬものについては、沈黙しなければならない」）、ハイデガーの「現存在」（『存在と時間』）による二項対立の突破へとつながる。以降、〈言語〉による認識論的な構造の読解とその境界を定義する試みは、現在の言語哲学や分析哲学にまで受け継がれている。

この「非言語的直接変換システム」のパラダイムでは、東洋文明の古典の知見が、あたかも計算処理の繰り返しの末の自然的未来を予見していたように映る。

4世紀頃、大乗仏教の一派として西域で成立した華厳経《けごんきょう》は、世界の認識のあり方（法界）を四段階に分ける。一般的な人間の世界である「事法界」、その背後にある原理（空）を捉えた「理法界」、原理と事象が自在に結びつく「理事無礙法界」、そして最終的な悟りが、事象と事象の直接的な関係からなる「事事無礙法界」[注22]だ。

「理法界」や、その発展である「理事無礙法界」は、現象の根拠に特定の原理を想定する点において、近代西洋形而上学的な構造を持つ。ソシュール言語学におけるシニフィアン‐シニフィエ[注23]の一対の関係に近いとも言えるだろう。それに対して、絶対的な悟りとされる「事事無礙法界」は、一つのシニフィアンに対して、複数のシニフィエが内包された構造を考える。一つの事象には世界の事象のすべてが織り込まれ、我々に見えるのはその顕現の一つに過ぎない[参考3]。

この認識のあり方は、自然とデジタルの融和を指向する東洋的なコンピュータの発展モデルとして援用できる。つまり、言語（原理）によって世界を分節しうる「理事無礙法界」から、事象と事象のみが直接的に絡み合う（縁起する）「事事無礙法界」への転換である。奇しくも「End to End」を意味する述語だ。

この次元の認識においては、西洋形而上学の二分法的な概念は超克されるだろう。デジタルとアナログ、人と機械、人為と自然、個人と全体といったフレームによる対立は無効化され、「一にして全、全にして一」の、ミクロとマクロが相互的に包摂される原理が実装を伴い全面化する。そこでは「隷属と自由」「枷からの解放」といっ

注19 機械学習では、入力―処理―出力のプロセスにおいて中間の処理の過程がブラックボックス化するため、人間が理解しうるのは入力と出力の両端のみとなる。この始端と末端が中間領域を飛躍して接続される関係性を本書ではEnd to Endと呼ぶ。

注20 〈フレーム〉とは、母集団からデータを切り出す行為そのものを指す。例えば、風景の中から画像を取り出すことや、レンジファインダーカメラで写真を撮ること。

注21 従来のコンピュータあるいは人間が、言語や数字、記号を通した事象の抽象化を通じて処理を行うのに対し、人工ニューラルネットの機械学習では、画像や音声といった、意味を持たない非言語的なインプットから、再び音声や画像などへの直接的な変換を行うところに大きな特徴がある。

注22 華厳経における世界認識の一つで悟りの境地。モノ同士が直接的な関係のもと自在に存在するあり方。ただし、ここに至るまでには、「実体は存在せず一切は空である」という認識の段階を経るとされ、般若心経の「色即是空」のさらに先にある認識論とも解釈できる。

注23 シニフィアンは「意味するもの」、シニフィエは「意味されるもの」を指す。ソシュールは言語体系内部での両者の関係は恣意的であり、ある語（シニフィエ）とその意味内容（シニフィアン）の結びつきに必然性はないとした。

た近代的な命題は意味をなさない。

昔者荘周夢為胡蝶。栩栩然胡蝶也。
自喩適志与。不知周也。俄然覚、則蘧蘧然周也。
不知、周之夢為胡蝶与、胡蝶之夢為周与。
周与胡蝶、則必有分矣。此之謂物化。

紀元前4世紀に、中国の思想家である荘周（荘子[注24]）が著した『斉物論』は、「胡蝶の夢」のエピソードでよく知られている。

ある日、荘周は蝶になる夢を見た。眠りから覚めた荘周は、今の自分は蝶が見ている夢に過ぎないのではないかと考える。そして、蝶と自分の間には、姿は違えども本質的な区別はないとし、その主体を超越した転換のことを「物化[注25]」と呼んだ。

百家争鳴と呼ばれる春秋戦国時代の活発な思想活動の中でも、荘周は儒家への苛烈な批判で知られている。儒家の言語による是非論、また、フレームの設定に対して、荘周は言語による世界の分割と相対化に基づいた認識のあり方を否定し、唯一絶対的な認識（天）への到達を説いた。世界の万象は言語によって仮構された見せかけに過ぎず、その深奥にはあらゆる差異を飲み込む普遍的本質がある。荘周はそれを「道」とし、道の顕現を「物化」と呼んだ。人が蝶の夢を見るのも、蝶が人の夢を見るのも、同じ本質（道）にある超越的な物事の現れ（物化）[参考4]に過ぎない。

約2400年前に荘周が到達した言語を超越した世界認識は、今日、計算機の処理速度向上と統計的データ処理がもたらす自然化によって実装されつつある。そのカオティックな自然は、言語による定義を経ずに現象から本質を取り出すことに長けている。自然と不可分な人工的環境による、事象の「物化」への到達。それは、厳しい修行や極限的思考の末に到達する精神的な「悟り」ではなく、神経系を模した人工ニューラルネットによって、機械の内部に統計的に生成されつつある。そのガウシアンプロセス[注26]等による最適化は近年の統計的データ解析の為せる叡智の結晶だ。解析的アプ

注24　古代中国の春秋時代に活躍した諸子百家のひとりで、無為自然によって万物の根源である「道」へと至る形而上学的な思想を説いた。その思想は後の道教や中国禅の成立に大きな影響を与えている。

注25　中国哲学の研究者・橋本敬司氏によると、道は「相対する存在物を必要とせずそれ自体で存在し全ての中心に位置する」とし、物化は「生死といった物の形態的変化のことではなく、道がそれぞれ物として現象化・顕在化すること」としている。道とは、確率過程や神経系によって決定される汎化の過程、バーチャルとフィジカルが行き来する様を意味する。

ローチによって記述されていたコンピュータサイエンスが、統計的アプローチとして動的な時空間フィルタ[注27]を形成するメタ手法を、深い階層性とデータ量によって獲得した。それは、複数の手法的亜種を生み出し、我々の世界理解をより深め、より分断し、より漂白し、より接続したと言えるのではないだろうか。

我々の言語は、いうなれば言語を用いる人間という〈オートエンコーダー[注28]〉が集団的に生成する、現象の次元圧縮装置と解釈できる。それが世界を記述するシステムとして不完全であることが、人類が突き当たっている〈近代〉の限界の根本にあるが、東洋文明には、その不完全性を超越しうる直観が常に底流している。

古池や蛙飛びこむ水の音

この芭蕉の有名な句を理解しようとするとき、我々は、わずか三つのエンドポイント——古池、蛙、水の音から、江戸の山水の世界観を想起している。寂れた山里の、色彩の消えた池に、突如として発生する水音。蛙の躍動感と色づく景観、その後にやってくる静けさ。主語を持たない非人称的な情景描写が、水音をきっかけに主体的な身体感覚へと引き戻される。全体性を内包した叙景から根源的知覚への飛躍。主観と客観の越境、一と全、全と一の相転移[注29]がもたらす視座の変換は、まさに枯野を駆け巡る夢のごとき流動的認識からなる芸術の方法論を示唆している。日本の俳諧が到達した、現象の言語的圧縮から全感覚的な体験を呼び起こそうとする技法は、近代西洋で発達した〈個人〉を前提とした写実主義や印象派とは明らかに異質だ。そこには、End to Endの間に張り巡らされた、自他の境界を超越した脱中心的な生物ニューラルネットの構造の共有自体を美徳として愛でる感性がある。

注26　ガウス過程。連続時間の中で正規分布（ガウス分布）が生成される確率過程のこと。機械学習ではモデルの平均値関数と共分散関数を元に、ガウス過程によって未知の観測値の予測を行うことができる。

注27　動的な時間あるいは空間方向に関わるデータ列に関する演算方法のこと。

注28　言語のように次元を圧縮して、関係性をネットワーク化する変換プロセスという意味で本書では用いている。「現存在」（ハイデガー『存在と時間』）を定義せずとも、神経系を外在化することによって二項対立は突破できる。

注29　仏教用語で時間と空間を指し、部分に全体が含まれ、全体に部分が含まれること（西田幾多郎『絶対矛盾的自己同一』を参照）。日本の伝統的な詩歌文学の無常観の根源には、ミクロの現象を注視する個人的視座と、世界全体を認識する超越的視座が相転移する、独特の認識形態がある。

注30　深層学習とも呼ばれる。多層のニューラルネットワークによる機械学習の手法で、画像や音声の特徴量をネットワークの加重で学習することによって、高精度な認識を可能にする。この技術のブレイクスルーにより２０１０年代に第三次ＡＩブームが勃興した。

注31　統計的プロセスによって対象の問題を解く手法および、対象のデータの生成をする手法のこと。

ディープラーニング[注30]以降の機械学習[注31]の思想的イノベーションの本質は、意味論や認識論といった形而上的な領域には触れず、形而下の物理領域に限定した最適化やマッチング処理によって、問題の解決が図られるところにある。その根底にあるのは、生物の神経系の発達と相似のフレームワークであり、東洋的なエコシステムによって育まれた知性のあり方と高い親和性を持っている。我々が眼球を用いてアナログの光学処理（アナログ処理[注32]）を行い、網膜を用いて量子化（デジタル処理[注33]）を行った後、神経系の深い階層性によってそれをフィルタリングしていくことは、アナログな物質空間のホログラム記述の稠密《ちょうみつ》性と、その前提となる量子化されたデジタル空間の解像度的な限界との間にある差異と同質だ。ここでいう量子化とは情報理論における量子化を意味する。それは情報理論や信号処理において、標本化で得られた離散時間信号[注34]をデジタルデータとして、アナログデータ（連続量）を離散的な値で近似的に表すことである。この両者は、解像度と演算方法の違い[注35]こそあれ、多くの共通項を持つ。これは、同様の視覚情報処理が行われ、それが演算コストに応じてアナログとデジタルの組み合わせによって解決されてきたことにも現れている。量子化以後は、計算機資源が潤沢ならば空間的な距離も時間的な距離も解像度の制約を受けないが、稠密なアナログ空間ではそれら二つは解像度制約によってシステムのサイズが決定されてしまう。

その点で、東洋の自然に人為を内包するエコシステムはアナログとデジタルの調和、時間と空間の量子化と物質化の再帰的プロセスを標榜するのに適した言葉だと思う。

生物はこの地球上に現れた最初の情報処理を行う量子化機械である。[注36] 神経系を用いた演算のために、ある解像度で標本化や量子化を行うセンサーを持ち、生物ニューラルネットワークによるプログラムを内蔵した機械だ。DNAはデジタルデータを用い

注32 人間の眼球の水晶体は、厚みを変化させることで光を屈折させ網膜へと像を結像している。これはカメラレンズのアナログ的な光学処理と全く同じだ。

注33 人間の網膜は、120万から150万個の視覚神経細胞によって、アナログの光学的な像を、オン／オフからなるデジタル的な情報に変換（量子化）し、視神経に伝達している。

注34 時間軸上で一定の間隔に分散された値を持つ信号のこと。例えば、動画はフレームの離散化と空間の離散化が同時に行われている。また、音声などの連続時間信号を、標本化（サンプリング）によって離散時間信号に置き換えることで、アナログからデジタルへの変換処理は行われている。

注35 4Kディスプレイの解像度は800万画素、8Kディスプレイは3000万画素だが、これ以上の空間解像度を人間の網膜は知覚できない。また、神経系の演算機能は多層ニューラルネットワークによって擬似的に再現されているが、大脳のような機能の完全な解明は未だなされていない。

注36 生物の神経細胞は、シナプスで化学物質が伝達されることで機能するが、そこでのシナプスの反応はオン／オフの二択に収斂される。これは0と1のデジタル化（量子化）によって論理機構を成立させるコンピュータや人工ニューラルネットワークの信号伝達とも相似の構造である。

て記録され、量子化されたデータと「誤り訂正機能」[注37]によってエラーを減らして次世代に情報が伝達される。その工程で編み出された複数の神経処理プロセスは、人類が生み出したケイ素型コンピュータ[注38]によって車輪の再発明的に繰り返されている。例えば統計的な深層学習は人とそのデータの量産が生んだ一つの典型である。

深層学習の多くのアプリケーションは現段階では、視覚や聴覚、言語情報などの探索、つまり限定されたパラメータの自動最適化を試行しているに過ぎない。その一方で、デジタルが媒介する人間と世界との相互作用は既にあらゆる領域に及ぼうとしており、そこでは人工機械の不完全性を人間というコンピュータが補っている。

霧の山道を突き進む僕たちは、データベースに蓄積された環境情報と、静止衛星によって補われた三人称視点の融合したマルチモーダルな相互作用のもと、世界を多層的に認識している。いずれ世界を構成するあらゆる物理現象が機械学習に取り込まれ、その莫大な計算量は、現在よりもはるかに自然化されたコンピュータ——フォトンの干渉や、ひいては量子ゲート[注39]を用いたハードウェアによって賄われるはずだ。その知性のリソースをフレーム内に閉塞させないために、我々はオープンソース[注40]という思想を生み出し、未来に資する情報をインターネット上に解放しようとしている。その恩恵は、いずれは人類全体が享受することになるだろう。

思考を現実へと戻そう。

僕は今、夜と霧の山道で、柔らかな光の中にいる。運転手は、フロントガラス越しの視界を頼りに、右へ左へとハンドルを動かしている。人間の網膜に映る光景は、カメラ的なパースペクティブの「映像」に過ぎず、遠方から差し込むライトも、それ自体はただの光としか知覚されない。しかし、僕も運転手も、上空から俯瞰した進路と、

注37　この文脈ではＤＮＡ修復系を指す。通常、誤り訂正機能は、TCP/IPなどのネットワーク通信で使われる言葉だが、生命の情報ストレージであるＤＮＡにおいても同様の処理が行われている。ＤＮＡは複写ミスや紫外線などの外部要因により、１日１細胞あたり最大50万回程度の損傷が発生するが、ＤＮＡ修復酵素などの働きによって自動修復されている。これはネットワークにおける通信エラー処理とよく似ている。

注38　ケイ素（シリコン）で構成されたコンピュータのこと。現在使われているコンピュータは、シリコンの半導体によって集積回路が作られていることから、このように呼ばれる。

注39　現時点で実現が見込まれている量子コンピュータの方式のうち、量子ゲート（量子回路）型とはアダマールゲート、回転ゲート、制御ＮＯＴゲートなどを用いて汎用的な計算を行う旧来式のモデルを指す。

注40　ソースコードを公開し、利用、改変、再配布を誰にでも自由に認めることでソフトウェアの発展を促す開発手法。90年代後半のフリーソフトウェア運動を端緒とし、２０００年代以降はLinuxがサーバーＯＳとして成功。Firefox、Chrome、Androidなどが普及し、Arduinoをはじめとするオープンソースハードウェアが登場するなど、インターネット以降の開発パラダイムにおいて重要な意味を持つこととなった。

目の前に現れるであろう対向車を脳裏に思い描いている。この想像力は何に支えられているのだろうか。

我々は、目に見える情報だけでは、意思決定の半分も行えない。霧によって遮られた視界の不確かな部分、ヘッドライトの照射から外れた領域。それらを補うために、我々は身体の内部と外部のデータベースを参照し、全身の感覚器を相互的に作用させることで、そこから推定される世界を信じようとしている。ヘッドライトの光、GPSが示す地図データ、目的地の予備知識、耳に入る周囲の音、タイヤを通して伝わる振動、気圧の移り変わり、温度と湿度の変化。周囲のあらゆる情報を手がかりに、不確かな世界においてもその実在を確信すべく、無意識の領域であらん限りの想像力を働かせているのだ。

遠からず実現するであろう、〈自然〉を〈デジタル〉によって調停し、然びた[参考5]デジタル計算機とそれに適応した人類によって人為と自然の融和を促すテクノロジー。その力を借りることによって僕たちは、より鮮明な世界への確信へと至るだろう。

温泉宿まであと少し。夜と霧が明ける頃には、この原稿を書き終えられるだろうか。この本では、僕が見てきたさまざまな領域に及ぶ活動——計算機科学、応用物理、エンジニアリング、アート、デザイン、ビジネスを通じて実現させようとしている〈計数的な自然〉、デジタルネイチャーの世界観を描きながら、脱近代的視点がもたらす社会変化や、それを踏まえた提言、分析、思考を行っている。

今、我々の感覚や思考のベースになっている言語や思考のフレームワークについて、新しい視座からの俯瞰を試みているこの本が、さらなる新たな視座を作ろうとする読者のお役に立てれば幸いである。そして、思考の立脚点を固め、その行動のための一助になることを願っている。

第1章

デジタルネイチャーとは何か

オーディオビジュアルの発明、量子化、デジタル計算機、そして計算機自然、デジタルネイチャーへ

デジタルネイチャーとは、生物が生み出した量子化という叡智を計算機的テクノロジーによって再構築することで、現存する自然を更新し、実装することだ。そして同時に、〈近代的人間存在〉を脱構築した上で、計算機と非計算機に不可分な環境を構成し、計数的な自然を構築することで、〈近代〉を乗り越え、言語と現象、アナログとデジタル、主観と客観、風景と景観の二項対立を円環的に超越するための思想だ。未だ実現していないヴィジョンでありながら、その萌芽は至るところに現れ始めている。この章では、現代という〈終わらない近代〉を更新するための方法論を示しながら、来るべきデジタルネイチャーの世界観を、前近代的社会のあり方をヒントにしながら描き出す。

機械と自然が融合する時代が始まる

「デジタルネイチャー」という言葉を、前著『魔法の世紀』で定義してから約3年が経とうとしている。

1991年にマーク・ワイザー[注41]が提唱した「ユビキタス・コンピューティング」という概念[参考6]——生活空間に数多くのコンピュータが偏在(ユビキタス)し、それらがインターネットと接続することで、人々はコンピュータの存在を意識することなく、IT技術の恩恵を受けられるようになるというヴィジョンは、27年後の現在、「IoT」(Internet of Things)[注42]の普及によって実現しつつあるが、さらにその先に〈寂びた〉世界観として構想したのが「デジタルネイチャー」だ。

これまで〈人工〉と〈自然〉は対極的な存在とみなされてきた。人類は道具を発明することで、自然を支配し、文明を生み出す。これは有史以前から、連綿と続く営為と見られてきた。その中でもコンピュータは、人類が作り出した最も複雑な人工物であり、90年代以降は世界に巨大な変革をもたらす道具として、ソフトの限界費用からイノベーションの主役となってきた。そして今、コンピュータは、「道具」という枠組みを超えて、新しい領域へと踏み出しつつある。

注41　1991年の論文「21世紀のコンピュータ("The Computer for the 21st Century")」で、ユビキタス・コンピューティングの概念を提唱。未来のコンピュータは生活空間に溶け込み、本人がカームテクノロジーというように、テクノロジーに無自覚なまま無線通信のもと誰もが自由に利用可能になるという予測を行った。

注42　モノのインターネット。生活空間のあらゆる機器がネットワークに接続し、相互に情報通信を行うことで利便性を拡大することを指す。2010年代においてマーク・ワイザーのユビキタス・コンピューティングの概念を現実化する動きとして注目を集めている。

そもそも量子化という意味での〈デジタル〉は、生物に固有の情報演算形式[注43]であった。DNAやRNAの記録は4種類の塩基によって量子化され、コドン[注44]によってさらにコード化されている。網膜や蝸牛も量子化装置であり、空間の光線や空気振動をデジタル化して神経系へと接続する装置だ。アナログな光学回路として設計されている虹彩やレンズと網膜の対比、鼓膜や耳小骨と蝸牛の対比に身体の中に遍在するデジタルとアナログの通信を見て取ることができる。ケイ素型コンピュータは電気的エネルギーに対する半導体的性質によって演算を行うが、生物種では、神経系の化学的接続や興奮の電気信号によるパルス列の伝達[注45]によって行うのが一般的である。この場合、電流によるエネルギー欠損が起こりにくいため、生物の脳や神経系は比較的省エネルギーなデジタル回路を構築することに成功している。その神経系の仕組みにインスパイアされて研究が始まったのがフランク・ローゼンブラットが提唱したパーセプトロンを皮切りとした人工ニューラルネットワークであり、それに近年の計算機処理能力の向上から深い階層性を加えたのが昨今のディープラーニングという手法である。これらは、量子化したデータを用いて、最適化問題を統計的アプローチによって演算できることを示している。

コンピューティングは第二次世界大戦中に砲弾計算や暗号処理など、人間の数的優位や処理的優位などの戦略的装置として積極的に開発された。映像装置は20世紀のプロパガンダ装置として戦時中から大いに利用され、東西冷戦中にはその国内統制機能に貢献した。我々が今常時接続しているインターネットも冷戦のもたらした分断されにくい多ノード[注46]による通信ネットワーク思想の結実である。人間の非常時の生存戦略として、コンピュータは生み出されてきた。そして、ドローンやロボティクスはミサイルの抑止力に代わる直接的な戦闘兵器として、戦場に供給されつつある。

我々人類の生存戦略は、ジャレド・ダイアモンドが『銃・病原菌・鉄[注47]』で記したように、まず他生物への優位性を生むための攻撃装置、病原菌への医学での対応、鉄、

注43　デジタルは0と1の二進法の原理だが、こういったN進法による量子化は、最初に生命の情報伝達の仕組みとして実装された。例えば、DNAは四種類の塩基による四進法であり、神経細胞はオンとオフの二進法の集合によって反応を決定している。

注44　DNAは4種類の塩基（アデニン、グアニン、シトシン、チミン）から成り、そのうち塩基3個を一組（トリプレット）として、一つのアミノ酸の情報を規定している。この配列をコドンと呼ぶ。

注45　神経細胞では、シナプスの終端に伝達された興奮が、化学的シグナルによって他の神経細胞へと伝達されている。

注46　インターネットの基本思想である、多くのノード（結節点）によって構成されるネットワーク型の分散処理は、東西冷戦中に核攻撃での全滅を回避するためのインフラとして構想された。それを元に、アメリカ国防総省高等研究計画局（ARPA）は、インターネットの原型となるARPAネットを開発した。

アスファルト、コンクリートによる強固なツールとシェルターを駆使して当初は行われてきた。のちに、それは人間同士の生存戦略へと拡張され、知的処理の文脈でコンピュータが生産され始めた。三次元移動を目指した鳥やクジラとは大きな違いがある。

そういったコンテクストを持つ汎神的な計算処理、すなわち〈ユビキタスコンピューティング〉は、人間がコンピュータを通して周囲の世界に働きかけるモデルだが、さらに情報化が進み、世界のあらゆる事象をコンピュータで記述するようになると、〈人工〉と〈自然〉の対立軸そのものが揺らぎ始める。あらゆるコミュニケーションの間にコンピュータによる情報処理が内挿され、それが量子化後に生成されたものなのか、サンプリングされたものを直接出力されたものなのかの区別がつかなくなる。例えば、〈人間のサンプリング解像度においては〉空間に完全な光線空間を再現できるデジタルプロジェクタがあったとしたなら、人の見える世界は、視覚的には区別がつかなくなる。人工知能と人間を区別するテストにチューリングテスト[注48]があるが、新たな自然は万物が万物に対しての〈チューリングテスト〉を行っているような状態になる。

例えば、人間とコンピュータを思考体として考えれば、その差異は処理系の物理的な実装にしかなく、データの上では両者を区別できなくなるだろう。そこでは、世界の万物がデータとして記録され、人間を含むありとあらゆる事象が「計算機の中にある自然」として存在する。人間による人工物として発明されたコンピュータが、その内部に人間の解像度に十分な自然を再現することで、〈人工〉と〈自然〉の両方を、再帰的に飲み込みつつあるのだ。

「テクノロジーと自然の一体化」という発想は、ディープラーニングをはじめとする統計的機械学習手法の登場、様々なプリンティングやホログラム、つまり物質の相転移・非物質化技術の発展といった時代性を意識している。深層学習手法の流行と発展によって、情報科学と神経生物学は観察対象として隣接領域となった。関連研究分野でも、それがArtificial（人工）なのか、Natural（自然）なのか、あるいは、そのいずれでもないOriginalなのか、といった議論が注目を集めつつある。この巨大な変化を前に、我々人類の自己認識と、そのパラダイムの上に成る社会構造は、大幅な更新を迫られている。

注47　ジャレド・ダイアモンドの著書。最終氷河期以降に地球上に現れた諸文明のうち、なぜ西欧文明が最終的に覇権を握ったのかを文化人類学の見地から論じた。タイトルの『銃・病原菌・鉄』は、グローバリゼーションが始まった1500年代以降、文明の存続条件となった三大要因のこと。

注48　アラン・チューリングが1950年に発表した、機械の知性の有無を判定する手法。人間の判定者が対象のシステムとブラインドテストで対話を行い、その内容から人間と区別ができなかった場合に知性があるとする。

〈近代〉を乗り越えるための思想

もう一つ「デジタルネイチャー」という概念を通じて考えたいのは、私たちの社会を規定する〈近代〉をいかにして乗り越えるか、つまり、「脱近代」というテーマだ。〈近代〉は、世界史的には1789年のフランス革命から、産業革命の時代を経て、1945年の第二次世界大戦終結までを指すのが一般的であろう。この間に、現代社会の根幹を支えるさまざまな概念が作られた。例えば「人間」「社会」「国家」「大衆」、こういった概念によって現代社会は成り立っているが、それは同時に人々を制約し、〈近代〉の内部に押し込めようとする。〈近代〉の成立期から約250年が経ち、その耐用年数は過ぎようとしているが、それにもかかわらず、21世紀になっても我々の社会は、〈近代〉的概念によって規定されている。そして、〈近代〉をいかに乗り越えるかという問題は、20世紀からたびたび議論されてきたが、人類は未だにその有効な手立てを見出していない。本書では、〈近代〉を〈イデオロギー〉ではなく、〈テクノロジー〉の側面から乗り越える可能性を考える。産業革命と資本主義が〈近代〉の重要な成立要件である以上、その超克も技術的な更新抜きにはありえないはずだ。近代前提として、産業革命は技術の問題、資本主義はイデオロギーの問題である。近代とはそもそも産業革命（技術）が資本主義（経済的イデオロギー）を発展させ、民主主義（政治的イデオロギー）を下支えした結果として成立したものだ。つまり本書ではイデオロギーは技術の発展の結果成立するという立場を取る。以前、小泉進次郎氏と議論した「ポリテック」[注49]などもその一例だろう。

ではまず最初に、まさに〈近代〉が勃興した19世紀、最も偉大な発明家であり同時に幾多の失敗と成功を繰り返した、とびきり魅力的だった男、トーマス・エジソン[注50]の足跡を振り返るところから始めたい。

メディアアーティストとしてのエジソン

19世紀を代表する発明家トーマス・エジソン。電灯や蓄音機を考案し、生涯に手が

注49　政治の下支えとしてテクノロジーがあり、テクノロジーの下支えとして政治があるという考え方。2018年4月29日に開催された「ニコニコ超会議」において議論した。

注50　「発明王」の異名を持つアメリカの発明家、起業家。正規教育を受けず独学で科学技術の知識を習得。蓄音器、白熱電球、活動写真など多くの発明を残した。エジソン電気照明会社（後のゼネラル・エレクトリック社）を創業したことでも知られる。フォードの友達。

けた発明数は約１３００にも及ぶ。彼の残した業績を仔細に見ていくと、興味深いことに気付く。エジソンの発想は約１００年、早すぎるのだ。当代のエンジニアリングを駆使して新しいユーザー体験を作り出すが、その数々の発明品は、大衆への普及を分ける境界線、マーケティング用語でいう「死の谷」[注51]を越えることをまるで考えていない。そのため商業的には失敗に終わることも多かったが、当時のベストエフォートで開発されたテクノロジーは約１００年後の世界で実現されている。[参考7]

革新的なテクノロジーを発明するが、その発想があまりに未来的であるため、社会に大きなインパクトを残すだけに終わり、ビジネスでの成功を逸してしまうことも多かった。こういった彼のいくつかの活動は、今日においては「発明家」というよりも、「メディアアーティスト」と呼ぶのがふさわしいものもあるだろう。

そしてエジソンは、そのメディアアーティスト性ゆえに、〈近代〉の創始者の一人であると同時に、〈近代〉を超えるイマジネーションの持ち主でもあった。

例えばエジソンの発明の一つに「キネトスコープ」がある。この装置によって人類は史上初めて「映像」を目にすることになった。しかし今日、映画の発明は、リュミエール兄弟の「シネマトグラフ」とされている。エジソンの映像装置は当時の社会には受け入れられなかった。なぜならキネトスコープは、個人が覗き込むと映像が見える双眼鏡型の装置――今でいうVR[注52]デバイスに近いメディアだったからだ。1891年にエジソンが発明したキネトスコープは当初、大きな話題となり、街頭に設けられた映写室（キネトスコープ・パーラー）には大勢の人々が押し寄せた[参考8]。

しかし、成功は長くは続かない。4年後の1895年、リュミエール兄弟が、同じ原理を用いた「シネマトグラフ」を発明する。この装置の特徴は、映像を幕（スクリーン）へと投影する機能にあり、インターフェースに大きな差があった。

以降の100年間、シネマトグラフは映像文化のスタンダードとなる。大勢の人々が一度に映像を鑑賞できるプラットフォームは爆発的に普及し、20世紀全体を通じて映像装置の主流となった。大勢でビジュアルを眺め共通の体験を生み出すテクノロジーは、電信系と融合し、やがてテレビジョンをもその文脈の中に置き、20世紀の社会・政治・文化に大きな影響を及ぼした。人間の視聴覚を現実の時空間から切断し、マス（大衆）に伝達する装置。その出現は、人々に巨大な一体感と共同幻想をもたら

注51　デスバレーとも呼ばれる。あるプロジェクトの研究や開発の過程において、次の段階への発展を妨げている障壁全般を指す。資金の枯渇、リソース不足、社会制度の未整備といった要因などが多くの事例で挙げられる。

注52　人間の視覚や聴覚を刺激することで、現実認識を書き換えたり拡張したりする技術。近年は狭義の意味でヘッドマウントディスプレイを通した視覚的な擬似体験を指して使われることが多い。

し、20世紀前半の全体主義と総力戦の時代の原動力となった。

シネマトグラフに対してキネトスコープの劣勢は明らかだった。個人用の映像装置といっても、現在のような頭に乗せるヘッドマウント型ではなく、上から覗き込む顕微鏡のような方式だったため、鑑賞時間や利便性に制約があり、さらに収益性の面でも問題を抱えていた。メディアのインターフェースが人々の行動を決定する。

確かに、キネトスコープには、没入感の演出や感覚の拡張において、シネマトグラフにはないポテンシャルがあった。しかし、当時の装置にはそのレベルの表現を可能にする解像力も機能性も映像「作品」自体もない。キネトスコープは数多の失敗作のひとつとして時代の陰に消えていった。

しかし21世紀。個人用の映像装置はスマートフォンによって現実のものとなった。さらに、それに伴う液晶ディスプレイ、有機EL、各種センサーの低価格化によって、オキュラスリフト[注53]を皮切りに没入型ヘッドマウントディスプレイ（ＨＭＤ）[注54]が次々と製品化され市場に投入されている。

エジソンのキネトスコープは、発明から約１２０年の時を経て、ようやく大衆化されたのである。その点で我々は今、視覚的時空間を超越しつつある。

コミュニケーションツールとしての蓄音機

また、蓄音機をエジソンが発明したのは1877年、彼が30歳のときだ。[参考9] この画期的な音声技術についても、エジソンは〈19世紀人〉とは思えない発想をしている。発明の翌年に発表された論文『蓄音機とその未来』[参考10]によると、彼はその利用価値を「手紙を書いたり、他の書き取りのため」としている。彼が挙げている用途は「口述筆記のための記録」「偉人や死別した人の発言の記録」「教育用に授業を録音する」など、コミュニケーションに関わるものばかりだ。エジソンは蓄音機を使って人間の肉声のメッセージの伝達、音声記録メディアによる時間差コミュニケーションを想定していたのだ。

一方で、演奏の記録については消極的で、音楽をコンテンツ化し大衆に届けるマス

注53　2016年にOculus社が一般向けに発売したヘッドマウントディスプレイ。13年に試作機が公開されるとクラウドファンディングで240万ドルの資金調達に成功。VRブームの火付け役となった。単レンズ光学系のゆがみを、ディスプレイ上の表示系に関する演算で補正することで、安価なVRディスプレイを実現している。

注54　人間の頭部に装着して眼球部分をデバイスで覆い、視覚を通じた疑似体験をもたらすディスプレイ。1968年にアイバン・サザーランドが発表した「the Sword of Damocles」がその始祖とされる。

コミュニケーションの可能性についても関心を持っていない。エジソンにとっての音楽は、解像感を含めて耳だけのものではなく、ライブで体感するもので、メディアに記録するものではなかったのだろう。20世紀の音楽メディアの巨大な成功を考えると信じがたいことだが、音声記録装置の最初の発明者の関心は、既存の音楽の記録ではなく、新しいコミュニケーション体験を作り出す方向に向いていたのだろう。これは、音声の再生解像度からの発想だったのかもしれない。

21世紀になり、社会はエジソンの想像した通りになった。音楽コンテンツの消費は、CDよりもライブなどの体験が主流になり、音声技術は、Skypeなどの人間同士の音声コミュニケーション、あるいは「スマートスピーカー」AI[注55]との対話といった、エンターテイメントというよりもコミュニケーションインターフェースとしての用途が拡大している。

電流戦争から100年後の直流的デジタル社会

そしてエジソンの先見性の最たるものは、電力事業のごく初期に、あるべき電気供給の方式は直流であると主張していたことだろう。これはニコラ・テスラ擁するウェスティングハウス社と、エジソンのゼネラル・エレクトリック社の対立、いわゆる「電流戦争」としてよく知られている。[参考11]

ウェスティングハウスの交流方式は、送電には高圧電流を利用し、各地に設けられた変圧器によって家庭向けの電圧に下げる仕組みだったが、当時の技術では火災や感電の危険が付きまとっていた。エジソンはこの交流方式を強く非難し、変圧器を経由せず低圧電流を直接家庭に送り届ける直流方式に固執した。しかし、19世紀当時の米国で求められていたのは、広い国土の隅々に届く送電技術であり、低コストなインフラだった。エジソンの直流方式は、ラボ内でこそ高効率で安全な給電が行えたものの、当時の送電範囲はせいぜい3km程度。さらに、電圧維持のために高品質な銅線が必要だった。「電気」という19世紀の新技術がキャズム[注56]を超えるために、電流戦争におけ

注55　Artificial Intelligence。人間の知能の再現を目指す情報システムの総称。1956年のダートマス会議でジョン・マッカーシーによって命名された。現在は機械学習を取り入れたテクノロジー全般を指すことが多い。人工知能と同義だが、本書では「AI」の呼称に統一する。

注56　エヴェリット・ロジャースが提唱したマーケティング理論。商品の普及過程を5段階に分類し「アーリーアダプター」と「アーリーマジョリティ」の間にあるキャズム（溝）を超えることが、大衆的な普及に至るための重要なハードルとなることを指摘した。

る交流方式の勝利は必然だったのである。

その後、交流方式は世界標準として広まり、20世紀中頃までの洗濯機や電熱器といった電化製品は交流で動作していた。しかし、半導体が登場しコンピュータが家電に組み込まれるようになると、電子機器の多くが直流を採用するようになる。現在、私たちの周りにある機械のほとんどは、交流方式で配電された電気を、インバーターによって直流方式に変換することで動いている。情報インフラは低消費電力を志向するが、熱変換や動力を生むための電力は低消費電力化に限界があるからだ。

このように電流戦争には敗れたエジソンだったが、彼には電気が向かうべき未来の姿、情報インフラが、正しく見えていたのかもしれない。[注57]

〈近代〉を規定する「エジソン＝フォード境界」を乗り越える

エジソンの早過ぎた発想による失敗を見てきたが、なぜ今、発明家・エジソンのメディアアーティストとしての側面を、改めて見直すべきなのか。

一つは、これらのエピソードが、現代の我々が自明のものとしている〈近代〉が、19世紀後半から20世紀初頭にかけて生まれた多様な社会、メディア、コミュニケーションの可能性の、一つの帰結に過ぎないことを明らかにしているからだ。

もう一つは、〈近代〉の観念が定まる前、自由な発想が可能であった黎明期において、汎用性やコストの問題を飛び越えて生まれた、技術の本質へと直接アプローチするようなアイディア。それこそがまさに、〈近代〉を超越するための手がかりとなるからだ。エジソンは〈近代〉の立役者の一人ではあるが、それゆえに〈近代〉に囚われることはなかった。彼の発想は、その先にある世界を見据えていたのである。

もう一人、〈近代〉の成立に重要な役割を果たした実業家に、ヘンリー・フォード[注58]がいる。現在のフォード・モーター社の創業者であり、史上初めて自動車の量産化に成功した人物だ。1908年に誕生したT型フォードは、850ドルという低価格で

注57 19世紀の社会や思想的状況にあって、エジソンのアイディアや発明には技術的な困難が伴っており、必ずしもすべてが理解され、受け入れられたわけではなかった。しかし、約100年が経過した現在では、当時の彼の発想が間違っていなかったことが明らかになりつつある。この章で紹介したVRゴーグルや直流電流がまさにその例だと考えている。

注58 フォード・モーター創設者。製造工程のライン化によって安価な自動車の大量量産に成功。「T型フォード」など の大衆車を広く社会に普及させ、20世紀の流通や人々の生活環境に大きな変化をもたらした。

1万台以上を販売し、自動車の〈マス化〉が実現した。彼が先鞭を付けた流れ作業による大量生産の仕組みは「フォーディズム」と呼ばれた。

ちなみに、エジソンとフォードは共同で、電気自動車の試験運用を行っている。結局、実用化はされなかったが（これはフォードの類稀なるコスト判断、エジソンが最後まで持ち得なかった才覚によるものと思われる）、この電気自動車は時速40㎞、1回の充電で約100㎞の走行距離を実現している。西洋文明、アメリカが生み出した、人間の能力を拡張するための技術。そのカウボーイ的開拓精神の根幹にある発想は、今も昔もそこまで大きく変わってはいないのだ。

エジソンの「発明」と、フォードの「量産」。この産業の両輪が揃うことによって、メーカーという概念が生まれ、電化製品や自動車の大量生産が進んだことで、マス（大衆）という概念が一般化し、バウハウス[注59]を経て、デザインという発想が生まれた。

ここで発生しているのは「エジソン＝フォード境界」ともいうべきものだ。テクニカルイノベーションとマス生産によるコスト削減がもたらすプラットフォーム化、市場の寡占形式によって、投資コストを回収する仕組みが生まれた。エジソン単体では（メディアアート的批判力はあったが）近代を作れなかっただろう。フォードが確立した生産形式、および彼のエジソンへのフォロワーシップ（記念館の構築など）によって、エジソンの才能をアート的なものだけでなくデザイン的なものにも落とし込むことで初めて近代を牽引する製品が生まれた。これは、特許や生産に関わる近代的な枠組みの黎明期にこの二人の才能が寄与し、そこから後の生産様式や市場形成の枠組みが大きく変化したことを意味している。

それから100年以上が経過し、私たちの社会は、今もなお〈近代〉の制約の中にある。我々の身の回りにある製品は、性能こそ向上しているが、道具としての本質的価値は、当時からほとんど変わっていない。自動車はフォードによって完成された形態から本質的には変化していないし、19世紀に発明された、ビジュアルとオーディオの発生装置は、映画やテレビ、さらにはスマートフォンにおいてもなお不変であり、その体験の枠組みは二次元の、そして〈フレーム〉の物質性に支配されている。[注60] 19世

注59　1919年にドイツのワイマールに設立された美術学校。ナチスドイツに閉校されるまでの14年間の活動期間に、カンディンスキーやモンドリアン、パウル・クレーなど当時の一流の芸術家たちが教壇に立ち、特に現代美術や工芸デザインの分野で、後世に巨大な影響を残した。

注60　映画、テレビ、パソコン、スマートフォンなどの映像メディアは、画面を縁取るフレームという境界によって、現実と仮想が物質的に区別される共通点がある。このフレームを超越するための議論については『魔法の世紀』を参照のこと。

紀、エジソンとフォードによって規定された「エジソン＝フォード境界」は、現代もなおトヨタやソニー、Appleといった企業の製品に継承されているのだ。

テクノロジーによる〈近代〉の定義――「エジソン＝フォード境界」の制約を乗り越えうる技術は、近年、次々と現れている。それはデジタルネイチャーの実現を促すキータームでもあるのだが、その中でも特に重要になる概念が、「体験の自動化・三次元化」と「生産の個別化」だ。

「体験の自動化・三次元化」は、コミュニケーションにフレームのある二次元メディアを用いない手法で、人間を介在せずにモノを自動運搬する技術であり、VRグラスや自動運転車がその代表例だ。これは、近代的なフレームを対象にした体験や、個による操作主体を前提としない装置だからだ。

また、VRやMR（ミックスドリアリティ）[注61]、空間ホログラム[注62]といった、三次元空間に直接オーディオとビジュアルを存在させるVR技術にも、個を超越する可能性が含まれている。例えば、一見すると人間とコミュニケーションを取っているように見えても、対象は近代的な個ではなく、自動生成された人格を人間の感覚解像度に稠密な状態で情報提示しうるということである。それによって、個と個がコミュニケーションする枠組みで情報提示が行われる前提は取り除かれ、また、『魔法の世紀』で述べたように、一方向的にマス伝達することなく、個別最適化したコンテンツと、分散型のコンテンツネットワークを前提としうる。

「生産の個別化」は、フォード以来の大量生産ラインを経由しない、個人化・個別化された製造技術で、3Dプリンティングや、人間の介在しないCAD設計[注63]による個別製造が該当する。近年、この分野の成果として、個人用にカスタマイズされた義手の開発や、バイオ3Dプリンタ技術による人工臓器の生成に注目が集まっているが、将来的には、多くのBtoBまたはBtoC製品において、ケースごとのニーズに対応する多様なラインナップが低コストで実現されるだろう。

これらを裏で支えるのが、統計的機械学習やその恩恵にあずかるデザインツールだ。つまり、ソフトウェアとハードウェアの間を自由に行き来し、データの蓄積によって

注61　現実空間と仮想空間が融合し、現実のモノと実質的なモノがで影響しあう複合的な現実のこと。

注62　光波の干渉を利用して、三次元的な立体物の像を空間に投影する技術。ホログラフィーの原理は1947年、イギリスのガボール・デーネシュによって発見された。その後、音響や電波や光波など様々な波に対するホログラムが実装、研究されている。

注63　コンピュータ支援設計。建築物やデバイスの設計において、コンピュータ内で正確な3D構造を描画するソフトウェアのこと。近年はAIや最適化計算による自動設計や設計提案が進んでいる。

個別化と多様性を生み出すフレームワークである。この技術が「体験の自動化・三次元化」と「生産の個別化」による多様性を損なわずに、社会に最適化することを可能にしている。

例えば、直方体のブロックを積み上げてピラミッドを作る作業を想像してみよう。すべてが同じ形のブロックであれば、簡単にピラミッドが積み上がるはずだ。しかし、八百屋で売っている果物を使って同じことをやろうとすると、途端に難しくなる。リンゴは転がり落ちるし、曲がったバナナはきれいに積み上がらない。そこで、実際の果物の形状をコンピュータに取り込んでモデルを作る。コンピュータは、どのように組み合わせて積めば、ピラミッドが崩壊しないか、構造と重心計算によって弾き出せるので、その通りに積み上げるだけで、個々に形状が異なる果物のバランスがぴたりと一致したピラミッドが完成する。

同じことが人間の社会についてもいえる。これまで私たちは、人間を近代以降の「教育」によって直方体型に揃える発想で社会を作ってきた。しかし、コンピュータによって全体管理や個別最適が行えるシステムが現れたことで、個人を画一化しなくても、多様性が保てるようになりつつある。それが「Artificial Intelligence」つまり「ＡＩ」の本質のひとつだと僕は考えている。統計的な標準モデルをコンピュータの中に作り出すことで個々人のギャップが計算可能になり、リンゴやバナナのような多様で不揃いな形状であっても、直方体に当てはめることなく積み上げられるシステムが実現する。それは外形的にはカオティック（無秩序的）に見えるかもしれないが、規定の枠組みに当てはめることによって個々の人間が余剰や歪みを引き受けるような無理は生じない。なぜならば我々は、個々人にインストールしていたノウハウを外在化させる環境インフラの構築に臨んでいるのだ。例えば我々は今、わからない言葉を、Wikipediaを使ってその場で調べることができるといったインフラを持っている。

近代以前の社会から「脱近代」的自然化を考える

〈近代〉の先にある、〈人間〉という制約から自由になった社会、それはある面においては近代成立以前、つまり〈人間〉という概念が現れる前の社会に近いかもしれない。もちろん、〈人間〉という概念という概念は近代の産物である。

したがってヒントになるのは、土着の日本なら、例えば江戸時代の都市のあり方だ。江戸の街では、ごみの量が非常に少なかったと言われている。その社会システムを可能にしたのは、近代以前の多様性だ。職業が緻密に細分化され、そこから発生した不要物の処理系統や、二次流通も年月を経て最適化され、多くの方策を持っていた。

あらゆる不要物を「ごみ」という単一の概念にまとめて、燃やしたり埋め立てるのは近代以降の合理化の発想だ。江戸の社会は不要物をごみとして画一化しなくても、その個々の特性を活かしながら再利用されるように設計されていた。もちろん江戸は前近代社会であるため、テクノロジーを用いた効率化や合理化とは無縁だ。一人当たりの生産性は低く、生産手段がバラバラなので技術導入による経済発展はあまり望めない。人々の移動には制限があり、乳幼児の死亡率が高く、飢饉や伝染病による大量死と常に隣り合わせで、金銭流通の観点から見ても高い発展段階にあるとはいえない。

とはいえ、物々交換は活発で、人口の大多数を占める「農民」は、農業のみならず多様な職能を掛け持っていた。こういった市場外部のネットワークにまで視野を広げると、その社会構造は非常に洗練された、今日的な観点から見てもエコロジー的で資源の無駄のない社会であり、それを背景に多様な文化が花開いていた。江戸時代のもたらした労働集約的な勤勉革命はテクニカルイノベーションなしに、同業の人を集約させることによって生産効率を上げる仕組みを構築した例である。これは、機械に人を合わせるのではなく、多様な人の中で、あるニッチに存在する人を集約することで生産性を向上させるソフトウェアイノベーションである。この考え化の根本は、日本では戦後も連続していたのではないかと僕は考えている。

「近代以前の社会は非効率的で生産能力は低く、人々は高いコミュニケーションコストを負担し、過大な作業を強いられていた」と定義することで改革のコンセンサスは近代以前と訣別した。近代は「人間」という概念を発明し、産業革命に合わせ、産業の要請から、人々をその基準に画一化すること（ノーマライズ）で個体能力のばらつきによるコミュニケーションや前提知識などの非効率性を乗り越え、機械との親和性を高めることで生産力を飛躍的に増大させた。しかし、現在はテクノロジーの進化によって、低いコストで個人化（パーソナライズ）することができる。前近代的な多様性を維持したまま、同時に全体が効率化された社会、それは、コンピューテーショナルな価値の算定と交換、環境に合わせた最適化問題解決によって初めて可能になる。

「AI＋BI型」と「AI＋VC型」に分化する社会

デジタルネイチャーは、〈近代以前〉の多様性が、〈近代以降〉の効率性や合理性を保ったまま、コンピュータの支援によって実現される世界だ。そこでの人々の生き方は、ベーシックインカム（BI）[注64]的か、あるいはベンチャーキャピタル（VC）[注65]的かに分かれていくだろう。つまり、ＡＩによる補完（多様化オートメーション[注66]）をはじめとするテクノロジーの発展で生産力が飛躍的に増大した結果、多くの社会で何らかの形でのＢＩもしくはそれに近しい資本の再配分か金融商品の分配、問題解決に際しての資本へのアクセス性の簡略化が実現するということだ。そこでは高度なインフラを伴う社会維持システムに組み込まれた人間は機械の指示のもと簡単かつ少時間の労働を営みながらＢＩ的に生活することが可能になる。対して既存のフレームワークの外側を目指す人間は計算機による省人化・効率化や前述の人と機械のハイブリッドシステムを使用して次のイノベーションを起こし、エコシステムのカンフル剤となり続ける。後者をここではＶＣ的なライフスタイルと定義している。

こうして、人々の労働は、機械の指示のもと働くベーシックインカム的な労働（ＡＩ＋ＢＩ型・地方的）と、機械を利用して新しいイノベーションを起こそうとするベンチャーキャピタル的な労働（ＡＩ＋ＶＣ型・都市的）に二極化し、労働者たちはそれぞれの地域でまったく違った風土の社会を形成するはずだ。この予測は、いわば近代の撤退戦を強いられている日本には顕著であるはずだ。

プラットフォーマーの想定するＡＩ＋ＢＩ型の社会は、成功した社会主義に近くなる。社会の構成員に等しくタスクが振り分けられ、その対価も等しく与えられる。それに対して、ＡＩ＋ＶＣ型の社会の中では、一部の人々は挑戦的なビジネスに取り組む。次々にプラットフォームに技術が飲み込まれる中で、その向こう側の領域をシリアルアントレプレナー[注67]として生み出していく世界だ。やがて利益が不当に極在化したプラットフォームは、ブロックチェーン化などの分散技術やローカライゼーションによって受益者に利便性を与え、根幹システムはオープンソースになっていく。その一方で、非中央集権的に土着の指向性を上げていく。

この両者の価値観の共存は難しいため、ＡＩ＋ＶＣ型の社会についていけなくなった人は、ＡＩ＋ＢＩ型の社会に移住して余生を過ごすことになる。市場の拡大を目指

注64　政府が国民全員に、最低限度の生活を送るために必要な額を現金で給付する制度。既存の社会保障（年金や雇用保険、生活保護など）を一元的に置き換える施策として近年、注目を集めている。

注65　ベンチャー企業などに積極的に投資を行う投資会社。高いリスクのもと巨額のリターンを見込める案件を専門に扱う。出資のみならず経営方針にも積極的に介入し、新興企業の指導・育成を担う側面もある。

注66　ＡＩのもたらす恩恵のひとつが、多様化されたオートメーションだ。従来のオートメーションは、大量生産にともなう画一化が前提だが、ＡＩによるオートメーションは、現行のカスタマイゼーションを超えて、様々なニーズに応える多様化と自動化による大量生産を両立させる。

注67　新事業の立ち上げを連続で行う起業家のこと。手がけた新興企業が一定の成功を収めると株式を売却し、その過程で得られた利益や知見、人脈を元に新しい事業を立ち上げる。アメリカのシリコンバレーではこの絶え間ない事業創出のサイクルにより活発な経済活動が展開されている。

す人間と、市場拡大の恩恵をゆるやかに受ける人間が、明確に分けられた世界だ。

二極分化する社会では、ＡＩと人に与えられる役割も二分化される。ＡＩ＋ＢＩ型では、ＡＩが構築した仕組みの中に人間が組み込まれる。つまり、機械の指示通りに人間が働く社会だ。機械にはできない環境のセットアップや、地震や洪水といった外部的なリスク要因の判断が、人間の主な仕事になるだろう。これには、地方のインフラ維持なども含まれる。機械が対応できない問題は、慣例や慣習による解決が図られる。イノベーションがなくても安定して回る世界である。

それに対してＡＩ＋ＶＣ型では、抽象的な思考による新しいＡＩの利用法の考案といった、フレームの外部の可能性の探求が仕事になる。この時代の文化はＡＩ＋ＶＣ型の社会から生まれる。そして、文化は論理的な説明を超えた非合理性の上に成り立つので、機械による予測がほぼ成り立たない。ＡＩは、特定の層の傾向は分析できるが、そこでどういう文化が繁栄するかは予測できないのだ。そこでは人間と機械が相互に裏を読み合う混沌とした世界が現れるだろう。そのため、ＡＩ＋ＶＣ型の社会で自動化される領域は半分程度しかない。ビジネスモデルの選定や最適な人材配置は機械が予測できるが、そこで何が起きるかはＡＩにもわからない。何かを起こしそうな人間を、然るべき仕事に割り当てることで打率を上げること。それがＡＩ＋ＶＣ型の社会でイノベーションを生み出す最適解なのだ。

「タイムマネジメント」から「ストレスマネジメント」の時代へ

前近代の社会をヒントに、〈近代〉の先にある社会の姿を考えてきたが、そこでは、「人間」と「労働」のあり方が再定義される。

〈近代〉とはつまるところ、「人間の人間による人間のための社会[注68]」のことであり、我々の社会が突き当たっている機能不全を克服し、本当の意味で〈近代〉を乗り越えるには、人間が人間のために働くことによるボトルネック、19世紀に確立された労働観を、改めて見直す必要がある。そこで、機械、人間、資本の関係性を問い直してみよう。

〈近代〉の働き方を規定したのは「労働価値説」だろう。労働によって生み出される価値を作業時間によって測定する思想で、19世紀のカール・マルクス[注69]によって理論的な完成を見た。そこでは人間を支配する枠組みとして「時間」が大きな意味を持つ。

注68　1863年のリンカーンの演説「人民の人民による人民のための統治」に象徴される、人間が理解可能で、かつ判断可能な、いわば「人間というプロトコル」によって成立する社会のこと。人間の能力的制約によってあらゆるルールが決定される社会を意味する。

その重要性を決定付けたのは、18世紀にイギリスで始まった産業革命といわれている。

工業社会では1日を時間単位で分割し、それぞれを労働と可処分時間に割り当てるタイムマネジメントの発想が求められる。同じ空間で働く人間集団の〝時刻〟（CPUでいうところのクロック）[注70]を揃えることによって、朝は何時に出勤し、何時から仕事を始める、といった1日のスケジュールを同期させ、効率化を図る。

工時間単位で労働者をマネジメントする工業社会において、安定して生産を行える人間を育てるのが、近代以降に整備が進んだ画一的な学校教育だ。機械との協調が求められる大規模工場において、効率よく機能する人間を育てるために、さまざまな習慣が生まれた。この習慣を教え込む教育は、日本では今もなお根強く残っている。

例えば小学校では、朝礼で全員が並んで「前へならえ」をさせられる。これは工業製品の検品検査のようなもので、配置が終わったら、声を合わせて挨拶をすることでクロックの同期を行い、時間感覚の狂いを矯正するためのものだ。ここで行われているのは、生産性の高い工業社会に人間を最適化するための処理である。

また教室では、一人の教師が多数の生徒を教えているが、これは全員に同時に同じコンテンツを提供する劇場型の授業形態で、生徒の理解度に応じて授業内容を途中で止めたり、分からない箇所を後から見直すことは原理的にできない。情報を提供する仕組みであるにもかかわらず、情報のコントロールが一切効かない。いわば一時停止できないメディアのようなものだ。

このような人間を規格化するための仕組みは、コンピュータ中心の社会においては長時間の代償に見合わない。近年の企業はフレックス制の導入で勤務時間を自由化する方向に進んでおり、学校では、教師役のオンラインコンテンツを生徒の数だけ進捗に合わせて最適化させれば、劇場型の授業である必要は必ずしもなくなるだろう。これはインフラの不十分により撤退戦を強いられている日本には大きな意味を持つ。〈近代〉における学校教育は、決められたマス目の中に名前を書ける人間を育てることが本質だ。その指示に従えない人間が多いと、〈近代〉の社会システム全体が成り立たなくなる。

しかし今後の社会では、画一性が求められる作業はある程度機械が行うようになり、

注69　ドイツ・プロイセン出身の思想家・経済学者。ヘーゲルの弁証法的論理学の影響の元、労働者と資本家の対立が止揚され共産主義社会へと至る必然を説いた。エンゲルスとの共著『共産党宣言』『資本論』は、20世紀の革命運動のイデオローグとなった。

注70　コンピュータ内の各回路が処理の同期を取るために、一定の間隔で発信される信号をクロックという。また、同期処理とは異なるが、CPUでは1秒間に刻めるクロック数がコア単体の性能を示す指標とされている。

人間はそれ以外の領域で価値を生み出さなければならない。そこで求められるのは、機械では規格化できない作業を発見して解決するような非画一的な仕事のポートフォリオや、問題解決のための手法論だ。

既に社会の労働の多くはコンピュータによって支えられているが、現代の労働環境では、人間的な能力を必要とする仕事と、そうでない仕事が混在しているため、時間をベースにした区分には無理が生じ始めている。単純作業や肉体労働であれば、時間あたりの仕事量で生産価値を管理できるが、頭脳労働の場合、仕事の質は必ずしも作業時間に比例せず、集中力依存が大きい。そのため、時間単位で労働の価値を測ることは困難なのだ。

今日、知的生産に携わる人間は、時間労働によって身体的に疲弊するのではなく、頭脳の処理による負荷で疲弊している。問題は「時間」よりも「演算ストレス」であり、近代が「タイムマネジメントの時代」であったのに対して、現代は「ストレスマネジメントの時代」なのだ。そこで求められるのは、ストレスをマインドセットから除外し、いかにストレスフリーの環境で働くかという発想だ。1日の時間を直方体型に切り分けるのではなく、それらを柔らかな線でつなげて成り立つように、我々の思考を作り変えていく必要がある。[注71]

タイムマネジメントの時代には、「ワーク」と「ライフ」を対比的に捉え、区別していた。しかし今後はワークとライフの境界がなくなり、すべての時間がワークであり、かつライフである「ワークアズライフ」になる。この時代では頭脳に対して「ストレスフルな仕事」と「ストレスフルではない仕事」をどうバランスするかが重要だ。仕事の予定で1日が埋まっていても、遊びの要素を取り入れて、心身のストレスをコントロールできていれば問題ないし、逆に高ストレスな私生活のイベントがあれば、それはノンストレスの長時間労働よりも先に解決されるべきだ。

ワークライフバランスが声高に叫ばれる近年においても、鬱病などで精神を病む人が後を絶たないのは、社会が未だにタイムマネジメントに支配され、ストレスマネジメントの発想が定着していないからだ。この問題は、残業を禁止し仮に22時に帰宅させたところで解決しない。時間はある一定の意味を持ちうるが、それだけでは効果が少ないことも多い。時間による労働管理でストレスが生じているのに、さらに時間的な制約を増やすのはむしろ逆効果にしかならないかもしれない。ストレスを感じない

注71　僕はこの議論を2017年以降、各方面で展開している。テクノロジーの発達がもたらす社会と人間の変化の具体像については、拙著『日本再興戦略』（幻冬舎、17年）を参考にして欲しい。

人間は好きなだけ残業をすればいいし、逆に、長時間労働が苦手な人には、早く帰宅する分だけ、高いクオリティの成果を求めればいい。重要なのは頭脳の演算による仕事の成果とストレスマネジメントであって、労働時間管理それ自体には、何の意味もないのだ。労働のハード思想からソフト思想への転換である。

我々の社会が抱えている最大の格差――それは経済資本の格差ではなく「モチベーション」と、そしてその根底をなす「アート的な衝動[注72]」を持ちうるかの格差である。

現行人類のコンピュータに対して優れている点は、リスクを取るほどに、モチベーションが上がるところだ。これは機械にはない人間だけの能力である。逆にリスクに怯え、チャレンジできない人間は機械と差別化できずに、やがてベーシックインカムの世界、ひいては、統計的再帰プロセスの世界[注73]に飲み込まれるだろう。

コンピュータではリスクが完璧に管理され、その判断基準は統計的分布の中にしか存在しない。そのためリスクを取ることを苦手とし、偶発性から生まれるイノベーションも起こりにくい。計算機による判断は、関数と目的地があると収束してしまうからだ。

それに対して人間の場合、リスクとモチベーションの間に強い相関関係があり、リスクを取ろうと考える人ほど、モチベーションが高くなる傾向にある。これは、ある種の衝動といえるだろう。特に革命のような巨大なリスクを負った状況では人はモチベーションの権化となるため、労働と代価でフレームされた統計に基づいた判断からは出てこない成果を得られる可能性がある。

このモチベーションには、個人間で大きな格差がある。衝動を持つ人間に資金を投資する仕組みはICO[注74]やクラウドファンディング、株式のファンドレイズなどによって整ってきているが、問題は、やりたいこととその衝動の獲得手法があるかどうか。リスクを顧みないほど何かに熱中している人間や、社会や技術の新しい芽を育てたいという人間の数は、実はごくわずかしかいない。多くの人々は知識を吸収しても、必ずしも衝動を生み出すような独自の視座を創りえないからだ。

そういったアート的で衝動となるほど強いモチベーションを生むコンテクストは文

注72 ここでいう「アート的な」モチーベーションとは、個々人の文脈において、それをせずにはいられない欲求・衝動を指す。

注73 VC的な社会が、人間という乱数生成装置の創発性が駆動する動的な社会になるのに対し、BI的な社会は、確率過程によって定義されるプロセスが、何度もその処理を繰り返すことによってある一定の値に収束する現象に象徴されるような、自然に収斂された変化の少ない世界となるだろう。

注74 Initial Coin Offering。ブロックチェーンを利用した資金調達の手法。トークンを販売することで、プロジェクトの支持者からの出資を募る。株式新規公開（IPO）に代わる資金調達方法として注目を集めている。

化から生まれる。そして、文化資本の再分配には、資本以上に巨大な格差が存在する。例えば、ある家には1万冊以上の蔵書があり、ある家には本が1冊もないといった格差は、現代においてもよく発生している。裕福な家庭の資産が貧困家庭のせいぜい数十～数百倍程度であることを考えると、これは貧富の差以上に巨大な格差である。今後は、文化の格差から生まれるアート的なモチベーションの格差を、いかに埋めていくかがキーワードになるはずだ。

今後、機械と人間の融合が進むと、機械学習では最適化できないイノベーションの種は、そのような衝動を持つ人間側に求められるようになる。

Google の研究開発部門であるX（旧 Google X）のトップ、アストロ・テラー[注75]は、「可能かもしれない想像上の産物にさまざまな質問を問いかけるという作業に集中する」という発言をしている。[参考12] これは彼らが取り組んでいる仕事のあり方と、そこに向かうためのモチベーションを表現した、とてもいい言葉だと思っている。

まず「可能かもしれない想像上の産物をイメージする」、これには頭を使うだろう。さらに「さまざまな質問を問いかける」というのも極めてアート的な行為である。人類の持つ複雑性とシンプルさ、信念と信用のつながりの中に人は未来を作り出す。

これからの人類がやるべきことは「可能かもしれない想像上の産物」に対して、「さまざまな質問を問いかける」ために具体化して「それに集中する」こと。まだ実現していない未来にコミットすることは大きなリスクだが、これが最も重要な価値である。それ以外の量産化や共有のプロセスは、コンピュータが行う方が合理的だ。今後は統計的分布の内側に落ちないプロセスをどう効率化していくかが重要になってくるだろう。衝動につき動かされる圧倒的集中力がジャンプを生む。デジタルネイチャーの中で寂びないもの、自然化するプロセスの中に埋没しているもの。その情熱を探求するプロセスは汎化[注76]と意志の敵対的プロセスだ。

注75　科学者、起業家。Google を運営する Alphabet 社の子会社である X（旧名称は Google X Lab）の代表を務める。同社は Google の次世代技術を研究・開発を行っているが、具体的な活動の詳細については公表されていない。

注76　様々な要素に共通している性質、法則、パターンなどを抽出し、それを未知の要素群にも適用できるように整理すること。一般化、普遍化とも呼ばれる。

第2章

人間機械論、ユビキタス、東洋的なもの

計算機自然と社会

デジタルネイチャーは突然変異的に生まれた思想ではない。第二次世界大戦後に情報理論を牽引した、幾人もの偉大な先駆者たちの思想を継承している。この章では、人間と機械の間を織りなすウィーナーやワイザーの思想を繙きながら、21世紀のテクノロジーの発達がデジタルネイチャーの世界へと至る、その歴史的な必然性について考える。

〈人間〉と〈機械〉の統一理論・サイバネティクス

現代は、人間が機械のように振る舞い、機械が人間のような挙動をする時代だ。例えばTwitterには、特定の人物や話題を常に監視して、動きがあるとすぐにリプライを送る「ツイート検出器」のような人間がいる。その一方で、女子高生AI「りんな」[注77]のように、人間と見分けがつかないツイートをする自動プログラムが生まれ始めている。近年のVチューバー化[注78]などもその一例だろう。何をもってAIが「人格を備えた」とみなすかについてはさまざまな議論があるが、「りんな」のようなプログラム内部の情報処理は、手法の進化とデータ量の増大、計算機資源の増加により、近い将来、人間並みに複雑になるはずだ。そして「統計的な情報に基づいたアウトプット」という意味では、人間とコンピュータの間に大きな違いはない。出力手段としての言語は確かに複雑な体系だが、有限個の組み合わせである以上、我々がSNS等を通じてその背後に人格の存在を推測しうるような、ある程度高度な言語表現をAIが行う日は、そう遠くないのではないだろうか。

この未来を、50年以上も前に見通していた人物がいる。20世紀前半に活躍した数学者、ノーバート・ウィーナー[注79]だ。工学者でありながら社会批評家としての視点も併せ

注77　マイクロソフト社が開発した会話ボット。LINEなどのソーシャルサービスでユーザーとのコミュニケーションを図るAIで、人間の女子高生とのチャットしているかのような会話を楽しめる。

注78　バーチャルYouTuberのこと。YouTubeで動画配信を行っている2Dまたは3Dの架空のキャラクターを指す。2016年末に登場した「キズナアイ」以降、多くのVチューバーが現れ一大ブームを巻き起こしている。

注79　アメリカの数学者。第二次世界大戦中に射撃制御装置の研究に携わった経験を元にサイバネティクス理論を考案。フィードバックにもとづいた自動制御システムを体系付け、情報工学の発展に多大な影響を与えた。

持ち、人間社会が機能する仕組みを文理両面から探求した。

　彼が提唱したのは、人間社会におけるあらゆる行動を、通信と制御によって捉える方法論だ。例えば、人間の腕は神経電位によって脳とつながり、その伝達系統によるフィードバック制御によってモノを掴むことを可能にしている。こうした通信と制御のモデルによって、世の中のあらゆる対象を説明する理論をウィーナーは発表し、サイバネティクスという一大領域を築いた。

　彼の代表作『サイバネティックス』[参考13]では、黎明期のコンピュータを基礎付けた通信と制御の理論によって、人間の身体や生物の行動、果ては社会システムに至るまで、あらゆる要素をロボティクス的に思考する試みがなされた。そこでは「人間の行動を数理的にモデリングする」「人間を機械の一種として捉え直す」という彼の主題が、初めて具体的に展開されている。そういった独特の理論を一般大衆に啓蒙しようと著したのが『人間機械論――人間の人間的な利用』だ。

　サイバネティクスの思想が生まれたのは第二次大戦後間もない時期で、当時の概念のすべてが、60年後の現代にそのまま適用できるわけではない。現代への文脈への接続をふまえて、その思想を改めて検討する必要がある。なぜなら「人間を機械化する議論」と「自然と文明を計算機で接続する議論」は、ちょうど対偶の関係にあるからだ。

ここでは『人間機械論』の副題である「人間の人間的な利用」という言葉と、近年の計算機技術の発展を手がかりに、改めて「人間」と、その集合が形成する「社会」の制度的関係について考えてみたい。

サイバネティクスとインターネット以後の接続

人間を鎖で櫂につなぎ動力源として使うことは、人間に対する一つの冒涜である。しかし、工場で人間にその頭脳の能力の百万分の一以下しか必要としない全く反復的な仕事をあてがうこともまた、ほとんど同様な冒涜である。[参考14]

「人間の人間的な利用」という副題は、『人間機械論』を理解する上で重要なキーワードだ。工場の流れ作業に従事している労働者は、視覚的な認知と筋肉を動かす単純な動作しかしていない。人間には本来、未知の課題解決に寄与し、創造的に思考する能力があるのにもかかわらず、だ。人間としての能力が充分に発揮されていないこの状態は、ともすれば極めて非人間的に映る。労働社会で人間が非人間的に扱われることに対して、ウィーナーは「冒涜」という言葉で痛烈な批判をしている。

この「人間」の本質を問う価値観は、フランス人権宣言などからも明らかなように、16世紀から17世紀のヨーロッパ世界に端を発している。特に「労働」については、ヘーゲル[注80]からマルクスへと続く社会経済思想の系譜が、資本主義下の社会や経済のシステムを読み解く上で、現在もなお強い影響力を持ち続けている。

こうした思想史の前提を踏まえながら、インターネットの登場で社会が直面する問題を考えるときに、サイバネティクスの思想は極めて重要な意味を持つ。つまり、〈人間〉と〈機械〉の対比として考えるのか、あるいは〈自然〉と〈計算機〉の対比の中に〈人間〉と〈機械〉を内包するのか、というスキームの違いである。

ウィーナーは科学史的には、「フィードバック制御」の概念の提唱者として知られている。これは一言でいえば、出力された結果を入力側に戻して目標値に近づける機構のことだ。

例えば、最近のロボットカメラ[注81]には、被写体を自動的に追尾する機能を備えているものがある。被写体を撮影するだけでなく、撮影した映像の情報をもとに、被写体が常にフレームに収まるようにカメラの位置や画角を自動的に調整してくれる。このように、対象から一方的に情報を得るだけでなく、得られた情報を自らに還元することによって、より自律的な挙動が可能になる。その情報の往還的な操作の基礎理論を築いたのがウィーナーであり、この機能は近年、機械学習技術によってより簡便かつ高速に処理されている。[参考15] これは果たして「人間的」であろうか？

サイバネティクスの理論には、同時代の天才たちの影響が色濃く残されている。「情報理論の父」と言われるクロード・シャノン、[注82] 現在のコンピュータの動作原理を考案

注80 19世紀のドイツ観念論を代表する思想家。正（テーゼ）と反（アンチテーゼ）の矛盾が止揚され合（ジンテーゼ）へと至る弁証法的論理学を提唱し、カール・マルクスを始めとする近代の思想・哲学に大きな影響を与えた。

注81 人間が行う設定や操作を自動化したカメラ。被写体の追尾だけでなく、オートフォーカス、3軸制御による画角の変更、シャッタースピードの最適化といった機能を備えている。医療や工場、スポーツ中継などの用途で導入が始まっている。

注82 アメリカの電気工学者、数学者。1937年に電気回路のスイッチのオン・オフを真理値に対応させることで論理演算を行う論文「継電器及び開閉回路の記号的解析」を発表。48年には論文「通信の数学的理論」によって「情報理論」という新たな学問領域を確立した。

注83 アメリカの数学者。物理学、経済学など多彩な学問領域で功績を残す。ノイマン型コンピュータ（情報と制御命令を別々に記録し、順に演算装置に送ることで処理する計算機）を考案。現在利用されているコンピュータは、ほぼすべてがノイマン型である。リチャード・ファインマンいわく「計算機よりも頭がいい」。

したフォン・ノイマン。[注83] 第二次世界大戦後、制御や通信の分野において、幾人もの天才が同時に出現したが、ウィーナーが彼らから大きな影響を受けたことは、『人間機械論』の中でもたびたび触れられている。

社会の数理的なモデリング、あるいは機械的な数理記述といったテーマが要請された時代において、彼らはそれぞれの研究分野で「モノとモノはいかに通信するのか」「モノはいかに制御というプロトコル[注84]で捉えられるか」について探求を深めていた。

その中でも、ウィーナーの最大の功績は、人間や社会を含めた〈システム〉をある程度予測可能な、モデリング可能な機械として捉える見方を提示したことだろう。人間の身体は、至るところでフィードバック制御が機能している。

例えば、人間の発話は、声帯から発した音声を自身の鼓膜で聞き取りながら行われる。手を使ってモノを掴むといった単純動作にも、神経系をはじめとしたフィードバック制御が働いている。

こういった人間や生物の活動全般は、世界のエントロピー[注85]を低下させるという性質があり、人間の作る機械も同じ機能を持ち合わせている。それを「生命」と呼ぶかは措くにしても、人間と機械は、宇宙を支配する「エントロピー増大の法則」に逆行する点において同質の存在であることを、彼は著作の中で述べている。

機械は、生物体と同様に、前述のようにエントロピー増大の一般的傾向に局所的かつ一時的に抗する装置である。それらは決定を行なう能力によって、エントロピーの増大する世界のなかに局所的な組織化領域をつくりだすことができる。[参考16]

ウィーナーの功績はサイバネティクスの理論化だけではない。彼は1950年の時点でAIの登場を予見し、さらにその具体的な方法論についても思考を巡らせていた。彼が著書で「機械に高度な学習を与えることによって、対象の制御を自動で追い続け

注84　情報をやりとりするための基本ルール。ウィーナーやノイマンの研究は、モノとモノの間にある不可視の関係性を体系付け汎用化するための、ある種のプロトコルの開発と捉えることができる。

注85　原子や分子の「乱雑さ」の尺度。エントロピーが高いほど、その系には偏りがなく乱雑であるとされ、この宇宙におけるエントロピーの増大は不可逆であるとされる（エントロピー増大則）。

注86　1956年にアメリカ・ダートマス大学で開催された会議。「Artificial Intelligence」という言葉が史上初めて使われたことで知られる。マービン・ミンスキー、ネイサン・ロチェスター、クロード・シャノン、レイ・ソロモノフ、オリバー・セルフリッジ、アーサー・サミュエル、ハーバート・サイモン、アレン・ニューウェルらが参加した。

られる技術」について述べたのは、「ＡＩ」（Artificial Intelligence）という言葉が歴史上初めて使われたダートマス会議[注86]の6年前のことだ。

機械にあてはまるような学習の理論などというものはないという人がしばしばいる。また、現在の知識の段階では、私の提唱しうるような学習理論は時期尚早であり、おそらく神経系の実際の機能に対応するものではないであろうという人たちもいるであろう。私は、これらの二つの批判の中間の道を行きたいと思う。いっぽうにおいて、私は学習することができる機械を設計する一つの方法を提示しようと思う。それは、その型の特殊な機械を作ることを可能にするだけでなく、そのような型の機械を製作するための一般的な工学技術を与えてくれるような方法である。[参考17]

しかし、当時はインターネットの概念すら存在していない時代だ。インターネットに機械と知的生命が接続されることにより、知能と知能の相互インタラクション、集合知という発想とその活用への視座、一個体を超えたフィードバックの形成が可能になった。今振り返れば、個体や個別の「系」で閉じたフィードバックループと相互コミュニケーションという発想が、ウィーナーの発想の大きな制約となっていた。

現在のＡＩの隆盛には、契機となった三つのブレイクスルーがある。「並列計算の高速化（計算機資源の潤沢化）」[注87]「ビッグデータ（データ量の増大）」[注88]「アルゴリズムの改良（並びに研究コミュニティの活発化）」[注89]だ。

「並列計算の高速化」は、ＡＳＩＣ[注90]の開発の活発化、ＦＰＧＡ[注91]やＧＰＵ[注92]の高性能化など、並列演算用の半導体素子の開発競争とアプリケーションの増加によるものである。ＧＰＵはゲームハードの開発競争を契機に得られた恩恵だ。「ビッグデータ」の背景にあるのはTwitter、Facebook、Googleといった「Web2.0サービス」[注93]の隆盛だろう。

注87　ＣＰＵが進化することで、２０００年代後半にクロック数の上昇が頭打ちとなり、マルチコア化へと転換。並列処理に優れた性能を発揮するプロセッサ技術の開発が進んだ。現在ではハイエンド向けＣＰＵでは数十コア、並列計算に特化したＧＰＵでは数百コアを内蔵したモデルが登場している。

注88　２０００年代後半以降、スマートフォンやソーシャルメディアの普及、リモートセンシング技術の高度化などによって、ネットワーク上のデータ量が激増。その巨大な情報を意味する「ビッグデータ」の概念が登場し、ビッグデータの解析を手がけるデータサイエンティストという職種が注目されるようになった。

注89　Googleは２０１３年以降、自社の検索サービスに、会話的文章の背後の意図を推測する「Hummingbird」、キーワードの相関性を学習する「RankBrain」を導入。ディープラーニングなど機械学習の開発成果を投入しつつ、アルゴリズムのさらなる向上を図っている。

スマートフォンとこれらのサービスが結びつくことで、ユーザーの膨大な情報がインターネットに流入し、莫大な情報量を解析する技術が発展した。「アルゴリズムの改良」はアカデミック系研究グループの研究成果とGoogleなどの巨大ＩＴ企業の貢献、またディープラーニングを皮切りにした統計手法による新しい計算手法の発明が大きい。このうち「並列計算の高速化」以外の技術については、インターネットの存在抜きには考えられない。ビッグデータの集積や、集合知ベースでのアルゴリズムの改良は、インターネットがなかった時代には想像もつかなかったはずだ。

人間とプログラムのネットワーク上の入出力行為はその後の数理処理的には等価であり、両者にデータ価値の差は小さい、というのがサイバネティクスを内挿すると現れる発想だ。そして、数理モデルと実装が融合することによって、計算機上の人為（人間の為すこと）はモデリング可能になり、人間とコンピュータはある程度システムの中で交換され、そのすべてがインターネットに接続されている、という世界観は、既に実現しつつある。例えばUber[注94]、Airbnb[注95]、クラウドソーシングにシェアリングエコノミー、用途や委細は違うが、これらは、人とインターネットの協調動作によって行われるようになったエコシステムだ。

ここで重要なのは「抽象的で解析的な現象理解」ではなく、具象的な「アプリケー

注90　Application Specific Integrated Circuit。特定の用途向けに機能を組み合わせて製造された集積回路のこと。エッジデバイスの処理速度向上に対して、様々なものが設計されている。GPUやCPUのように、汎用化された処理を行うICとは、逆の発想である。それによって、処理速度やエネルギーの効率を向上させることができる。近年では、ビットコインのマイニング専用に設計されたASICが登場している。

注91　Field-Programmable Gate Array。ハードウェア記述言語によって論理回路を書き換えることで、製造後にユーザーが自由に構成をカスタマイズできる集積回路のこと。

注92　Graphics Processing Unit。グラフィックカード、ビデオカードとも呼ばれる。コンピュータで画像処理を担当する演算装置。近年は多数のコアを搭載したモデルが登場しており、並列処理に優れた特性があり、ニューラルネットワークの演算やマイニングなどに利用されることもある。

注93　2000年代中期、ティム・オライリーによって提唱されたウェブの新潮流。ウェブサービスの動的、双方向的、集合知的な方向への進化を指し、ブログやソーシャルメディアなど当時勃興していた新興のサービスがそれにあたるとした。定義が明確でないためバズワードに過ぎないとの批判も多い。

注94　世界70カ国・地域の450都市以上で展開している自動車配車サービス（2018年5月現在）。専用タクシーのみならず、一般人が自家用車を使ってタクシー業を営めるのが特徴で、乗客はスマートフォンを使っての配車や代金の決裁が行える。

注95　世界192カ国・3万3000都市で展開している宿泊施設の貸出サービス（2018年5月現在）。一般人が所有する物件を旅行者などに提供する、いわゆる民泊の仲介ビジネスとして、日本でも注目を集めている。

ション」からのアプローチによって、ディープラーニングをはじめとする近年の機械学習関連技術は劇的な進化を遂げたということだ。それは一言でいえば、人間的論理がないまま結果だけを受け取るノウハウ依存的な方法論である。この学問体系は、今までの知的情報処理のあり方を覆す可能性を秘めている。

そういった統計的機械学習の最大のブレイクスルーは、画像や音声などのデータセットからバックプロパゲーション[注96]などの手法によってプログラムが統計的な最適問題への解を抽出し、それらの学習済みモデルを接続することで他の出力への変換を行えるようになったことだ。これは「データセット」と「ゴール」をインプットするだけで、動作保証はないもののある程度は結果を導き出せるようになったことを意味する。このデータセットとモデルの統計的プロセスの本質を「End to End」という言葉で表現しよう。End to End という言葉はAI界隈ではよく使われる言い回しで、データとゴールの関係を一言で表しているため、ディープラーニングという言葉よりその自動的偏微分プロセスがわかりやすいと僕は考えている。

このパラダイムでは、問題の解決に対して必ずしも解析的な発想は求められない。ことこの系に関する上で、ネットワーク接続に関するノウハウが多く、現状はデータセットがあると手法のトライアンドエラーで画像処理や音声認識の問題を解くことができる。実装に必要なコードもわずかな量で済むため、開発よりも計算機処理に回す時間の方が長い。それがゆえに、技術的に何らかの貢献を行い、論文を出版するハードルが下がった。もちろん、専門家の研究室が今でもトップを走っているところもあるが、多くのニューカマーを生んだのも事実だ。

その点を踏まえると、今AIの分野で求められている才能は、データとデータの関係性に目を付けるセンスだ。そこでは前章で取り上げたような思考実験や、思想的な頭の使い方も重要になってくるだろう。まだ着眼点が活きるのだ。

ディープラーニングにおける代表的なイノベーションが「GAN」と「DQN」だ。「GAN」(Generative Adversarial Networks)とは「敵対的生成ネットワーク」のことである。「Generator」と「Discriminator」という二つのネットワークを内包しているのが特徴で、Generatorが訓練データをもとに、細部が微妙に異なる大量のデータを生成し、Discriminatorが比較し精度を判定する。課題をいかにコンピュータに認識させるかという問題が、モデルの生成と判定の仕組みにより、具体的なデータ表

注96　誤差逆伝播法。機械学習の手法のひとつで、学習データと出力データを比較して誤差を抽出し、それを機械学習のパラメータにフィードバックすることで正解に近づけていく方法。

現として処理できるようになったのである。

もう一つが強化学習、例えば「DQN」(Deep Q-Network) だ。これまで機械にある行動をさせるには、人間の手による複雑な制御を組み込む必要があった。しかし、DQNでは環境をデータとして与えて、成功と失敗の条件だけ定義しておけば、その条件に合致する画像(環境)を再現するために試行錯誤を行い、最終的に問題の解決に至る。機械を制御するための複雑な数式がなくても、最終的な出力が条件に似るよう自動的に偏微分処理しながら、目的変数に近づけていくのである。

これらのイノベーションによって、これまで単なる画像とみなされてきたピクセルデータを、アクションにつなげたり、三次元に拡張するといった試みが、今世界中で行われている。そこでは「End to End」の原則で、データと目的さえセットすれば、AIの数理的・解析的性質について知らなくても問題は解けるようになってきた。AIは「End to End」という特性によって、我々の世界を「魔術化」しつつある。

サイバネティクスとユビキタスを思想的に継承する

ノーバート・ウィーナーは1964年に亡くなるが、その27年後の1991年、マーク・ワイザーが「ユビキタス」という概念を提唱する。あらゆるモノがコンピュータ化し、相互に情報通信することで、人間の周囲の環境そのものが進化していく、いわば、「人間のためのモノの研究」を彼は行っていた。

人間を数理的に捉えるウィーナーのサイバネティクスと、あらゆるモノにコンピュータ性を付与するワイザーのユビキタス。本書で提唱している「デジタルネイチャー」はこの二つの概念を継承した計算機分野の思想だ。

つまり、西洋近代の人間中心主義による「〈人間〉の超人化」と「人間のための環境（モノ）の進化」という発想に対して、「〈人間〉の脱構築」と「環境的知能の全体最適化」、つまり「〈自然〉としてのコンピュータ」のエコシステムの構築を目指し、その超自然にそれぞれ不可分に内包されるのがデジタルネイチャーである。

この人間と自然とコンピュータの相互通信のために必要になるのが、コンピュータによって制御可能な「場」だ。直接的な感覚器を対象とする物理的定義としては、光の場、音の場、電波の場など、個別の〈場〉の理論がある。それをマクロに捉えたときは、物理現象を離れ数理的な情報空間になりうる「場の発想」。こういった計算機物理場のことを、僕は「コンピューテーショナル・フィールド」と呼んでいる。長年、応用物理分野で行われてきた場の発想とコンピュータに対する最適化対象として

ヒューマンインターフェースの実装を考え続け、トップカンファレンスで発表してきた。[参考18]

この「コンピューテーショナル・フィールド」とは何か。それは華厳の言葉では「理事無碍」と呼ばれたようなものだ。華厳経の宇宙観や世界論によれば、万物は本来ひとまとまりでありこの世の万物は縁起によって関連し合っているとされている。それは、近代に見られたような個に対象を分断する世界観とは異なっている。

この世界に存在する万物は原理的にはそれぞれ無関係ではありえない。万物はどこかで影響し合っている。旧来は宗教で語られた万物の関係性の中で、人や物や心や仏や宇宙、すべてが「究極的には」一体となっているということだ。そこでは、人間がセンサーを用いて認識できる空間だけではなく、時間的にも同様に、過去現在未来が一体となっている。しかしこの宇宙観は、悟りの境地でないと実感をもって観ずることはできないとされてきた。この「悟り」とは、現代的には学習済みモデルを用いた変換プロセス[注97]で外在性を持った記述に近い。

「理事無碍」とは何か。それは、世界の記述を、「理」、つまり縁起による関係性、および「事」、つまり対象の事物によって行うことであり、その二つを用いて構成される世界認識が滞りなく「無碍」という、エコシステムを形成することを意味する。このような「理」とされる関係性は、コンピュータの上で解析的に生成されたホログラムによる「場」で捉えることができる。このときホログラムとは、対象物と対象物の関係性を記述する情報そのものである。例えば、光源によって対象物が照明され、鏡に反射し、それが、目に届くときの、目と鏡と対象物の関係は光のホログラムで記述されているということもできる。その考え方をベースに前著『魔法の世紀』では論を構築した。ホログラムによる関係性と物理的実体の関係性によって一体化した記述として外在化できる。これは古来の仏教や中国思想では、体験による修行の結果、「悟り」で理解できる形でしか世界認識を行うことが難しかったが、現代の計算機資源を用いることで、それは外在化し、記述しうるようになったということだ。この計算機物理場によって、人間とコンピュータはインターネットを通じて相互通信が行えるようになる。物理的な波動によって人間が知覚する現象は計算によって再現可能であり、人間の側はそれをリアリティ、もしくはバーチャルリアリティとして捉えることもでき

注97　仏教的な「悟り」は、言語による表現や伝達が不可能な境地とされるが、この認識のあり方は、現象の直接的な変換によって、数式や言語では定義不能な対象を扱える機械学習の学習済みモデルと相似形である。

注98　ウィーナーのサイバネティクスは、モノ同士の関係性を定義する力学や電信の体系だが、それを物体や波動の性質に基づいた関係性、いわば物性的機能の体系として定義すれば、それは〈新たな自然〉の基盤となる。

る。例えば、ライトフィールドの変換など、多くの議論がなされてきた。

また、その End to End の物理的な相互インタラクションを、物性的機能[注98]として、いわば通信と制御の理論でウィーナーが考えた世界を、波動と物質と知能の三つ巴の関係で End to End に解釈していくのが、僕の考えている「自然」である。ここでいう、波動とはホログラムのことであり、物質はアナログ装置のことで、知能とはデジタル演算のことである。ウィーナーの世界記述では、通信と制御という人間と機械に見られる共通点から（近代における人と機械の対立構造を背景に）、人と機械の違いを逆説的に描き出している。対して、ここでいう波動・物質・知能、の関係性から捉える世界認識においては、人間と機械が本質的には同一なものとして扱うことができる。そのことによって、近代に象徴される人間と機械の対立構造を更新し、さらには、人間と機械のすべてを内包する万物の関係性（縁起）を記述することができる。そのとき記述される世界とは、新たな自然（デジタルネイチャー）である。

このとき最終的には、理事無碍における、「理」をもたらす理論（解析的な部分）による記述は、統計量を用いた機械学習によって、エンドポイントである「事」に包含され、「事」事無碍化する。事事無碍とは華厳の言葉で、理事無碍の次に悟りによって得られる最終到達点とされているものである。20世紀のコンピューティングでは、人間が抽象化を行い、メタルールにもとづく特徴量を発見し、それを用いた解析的な数理的プログラムによってシステムを構築してきた。例えばコンピュータシミュレーションをして仮想世界をデジタル空間に作るようなアプローチでは、仮想世界における光や音の記述などは人が解析的な定義式を用いてプログラムを作成していた。もしくはモンテカルロ法や遺伝的アルゴリズムが到達点であり、事物と事物のつながり、万物の縁起そのものはこの時点においては、人は一旦抽象化したメタルール（人間の側に存在する）を経由して、システムを構築していた。

しかし、21世紀のコンピューティングではそのような解析的なアプローチと、深層学習のような統計的なアプローチは計算機上で融合され、人間がメタルールを用いてシステムを俯瞰することなしに、解析的な個別の関係（縁起）そのものに介入することができるようになった。ただしこの主体は人間ではなく、計算機である。これは、特徴量を発見するアプローチも、計算機の側に内包され、これによって、「事」を用いた統計的アプローチによって「理」が生成される。古来、仏教では人は悟りを経由してしか縁起を理解し得ないが、コンピュータは演算を高速で繰り返すことにより、縁起の記述を獲得しうる。この書き方は仏教的表現に依拠しているが、ここでいう縁起を「理論」、悟りを「習得」とすると一般化できるだろう。これにより、「理」の部分は「事」に内包され、総体としては「事」事無碍による世界記述だけが残る。これは奇しくも、昨今深層学習がE2EAI(End to End AI)と呼ばれるように、End＝「事」とEnd＝「事」の入出力のみにあらゆる関係性が内包され、つつがなく進む世界である。データの持ちうる統計的分布の中に解決手段を含みうるのだ。

ここから、事事無碍という言葉で表現できる、この東洋的華厳と現代のコンピューティング、およびインターネット世界の共有性が、僕が見ている「物化」と「自然」によるデジタルネイチャーの世界であるといえる。僕はここにEnd to Endのエコシステム、ひいては近代西洋性より始まって東洋性に至るものを見ている。

もともと世界とは、【世】＝過去・現在・未来の時空間、【界】＝上下左右東西南北の三次元空間、本質的に時空間をさす仏教用語だった。ちなみに宇宙も同じような中国の言葉で【宇】は空間、【宙】は時間を指している。この東洋的次元量の中で、人は修行によって宇宙の意味や反応を獲得してきた。

今、この世界にはタンパク質をベースにしたプロテイン型コンピュータ、すなわち「生物」と、半導体素子のもととなるケイ素をベースにしたシリコン型コンピュータ、つまり「コンピュータ」が共存している。今後シリコン型に関しては、量子型として光コンピュータなどの量子イジング型や量子ゲート型の変革[注99]はあるだろうが、やがては有機体主体で古典的な生物型コンピュータと、後発的で人工的な主体を含むコンピュータの連携によって問題を解決する世界になるだろう。有機コンピュータは環境変動や宇宙放射線に対して強いしロバストだ。不確実だが壊れにくいし、データも失われにくい。前述のウィーナーにならえば本質的に両者は、「エントロピーを減少させる」という機能において同一であり、この二つの装置は、光や地場やあらゆる物質を媒介に通信し、相互作用している。

光・音・磁場・空気・電波――これらの媒体は、1960年代に理論的な証明は行われていたが、当時は高い解像度で運用する手段がなかった。しかし、現在はコンピュータ・リソースの拡大や集積による解像度の向上、新しいセンサー技術が発明され、当時の理論の応用的実装が進んでいる。今後は、これらの媒介を情報化して拡張する方向に世界は進んでいくだろう。人は物質中の波動伝搬や空間の遠隔伝達力をホログラム化し情報処理するために充分な計算機リソースを手に入れつつある。

注99　現時点で実現が見込まれている量子コンピュータの二大方式のこと。量子ゲート型については注釈39を参照されたい。量子イジング型コンピュータとしては、例えば、2011年にカナダのD-Wave Systems社が初めて商用化に成功した「D-Wave One」などが挙げられる。

その一例として、スマートフォンと人間の相互作用を例に挙げてみよう。

スマートフォンというデバイスが人間に与える刺激は、主に光と音によるものだ。それに対して人間は、画面のXY座標だけでこれをコントロールしている。指先の筋肉を使って、最大10個の静電容量変化点や圧力点を与えることで、対象の情報を操作しているわけだ。

このインターフェースには大幅な更新の余地がある。例えば三次元入力と三次元出力を可能にするようなインターフェースを発明する余地もある。また最近は、「Siri」や「Amazon Echo」といった音声認識技術が注目を集めているが、それは音声が人と人とのコミュニケーションにおいて最も使用頻度が高い通信手段だからにほかならない。今でこそ、機械に語りかけることに違和感を抱く人もいるかもしれないが、今後、応答の精度が高度化し、音声インターフェース上の人間と機械の区別がつかなくなる。そして「対話型」の意味は再定義される。

近年、チャットBotに注目が集まっているのも、コンピュータが苦手な層にとっては、コールセンターのような対話型手法が最もユーザーフレンドリーなインターフェースだからであり、いずれはAIがコールセンターの人間の音声コマンドによる受付を代替するようになるはずだ。例えば今デジタルネイティブの子供たちは、スマートスピーカーにより自然言語的な話しかけ方で話しかける。[参考19] それは、我々がコマンドのように天気を聞いたりするのではなく、一人の人格としてそこに語りかけているような適応も見られる。

そして、ウィーナーやワイザーが予見した世界観の実装が始まったことで明らかになったのは、〈モノ〉と〈情報〉の間には、再帰的なループが発生するということだ。〈モノ〉と〈情報〉の間のループ、さらには〈人間〉と〈機械〉の間のループが、今の世界には溢れている。

例えば、あるモノの成立条件を調べるとき、これまではデータ化してコンピュータに取り込み、必要な情報を読み取っていた。しかし、現在ではデータ化したモノをもう一度コンピュータ側から出力して、３Ｄプリントすることが可能になった。その結果、データとモノの間でフィードバックが働くようになり、情報的に最適化されたモノが現実世界に溢れるようになった。

私たちはウィーナーが想像したよりもはるかに、情報がその形を変え、現実に力を持つようになった世界を生きている。それは、コンピュータによって処理されたある種の自然環境（ネイチャー）の中で生き始めている、とも言える。つまり、霧の中でも、センサーが効かなくても、知的ネットワークとの接続が切断しない客観的な世界を、補助脳および補助身体として持つことができるようになったのだ。

元来、人々は自然の一部であり、自然との対話の中で生活を営んできた。日本で言えば中臣鎌足が大化改新を起こし、律令国家としての制度を制定するまで、各種豪族は個別に自然と向き合ってきたわけだが、自然との向き合い方が集団的国家インフラに変わるときに、人は人間社会という組織を形成し、いつしか自然と人のインターフェースを集団と自然との間にしか持たなくなった。それが、ゆるいつながりを保ったまま〈自然〉と〈個人〉が向き合うことができるようになったのだ。

計算機自然が〈人間の補集合〉となる

サイバネティクスとユビキタスのその先にある世界で、コンピュータが果たすだろう重要な役割の一つが「人類知能の補集合」になることだ。

「補集合」とは、ある集合を全体から取り除いたときの、残りの部分を指す。人間の外側に、不可知の領域をすべて把握しているコンピュータが外殻のように存在し、何らかの問題に遭遇するたびにそれを解釈して、どういう判断をすべきか補助してくれるという仕組みだ。これは補助脳であり補助身体であり、また補助的なホメオスタシステム[注100]、身体や環境の循環機能である。3Dプリンタやロボティクスが接続された世界の取りうる生態系と自然は大きな意味を持つ。

例えば、我々の演算的知性や蓄積的知性および身体知には限界がある。一人の人間が知り得る物事は、この世界全体の情報量からすると、あまりにも少な過ぎる。しかし、もしAさんが知りうる以外のすべてをコンピュータが把握するようになれば、それは、Aさんが考えつかないアイディアを提案する装置になっていくだろう。また、身体動作やデータベース検索に関してもそういった補助機能がいつでも使えるようになる。現に研究時のGoogle Scholarは既にそのようなふるまいをしている。

この〈人間の補集合〉としてのコンピュータというアイディアは、既に現実化しつつある。例えば、日立製作所はウェアラブル技術で「幸福度を測る装置」を発表している[注101]し、あるいはFacebookが開発していると噂される「自殺しそうな人を特定する

注100　恒常性。あるシステムの内部環境を一定の範囲内に保とうとする傾向。生物の体内で働いており、発汗機能や体温・心拍の変化はその現れであるとされる。

注101　日立製作所の矢野和男氏らによる研究（詳細は矢野氏の著書『データの見えざる手　ウエアラブルセンサが明かす人間・組織・社会の法則』参照）では、ウェアラブルセンサーによって人間の活動内容を収集し、個人の幸福感と結びつく振る舞いを調査している。

システム」[注102]も、ややディストピア的ではあるがその一つかもしれない。はたまた、短期的にはセンサーの欠陥を補う第三者視点やＧＰＳなども補集合といえば視座の補集合とみなせるだろう。

このことが意味するのは、我々については、既に我々自身よりもコンピュータの方が詳しくなり、自分の知らないことまでコンピュータが把握しているという状況だ。知的な自然と自己認識する自然との接続は身体性を全世界に解き放つだろう。

身近な例を挙げれば、スマートフォンの普及もその一つである。昨日の朝食に何を食べたか、スマートフォンに残っている写真を見て思い出したなら、それは自分の記憶よりも、スマートフォンの方が自分の記録をより多く持っているということだ。これから世に出るであろうグラスウェアは写真を撮るという行動をせずともそういった記録を行えるデバイスになるだろう。我々はやがて利便性の高い補助記憶装置を常にオンにした状態で暮らすかもしれない。これは生まれたときからスマートフォンやグラスに全情報を蓄積している世代が大きくなったときに、より大きな意味を持つだろう。誕生以降のすべての記憶をクラウドにバックアップすることで、生涯の全記録をいつでも取り出せるようになれば、それは人間の記憶よりもはるかに巨大な容量のメモリを用いた、過去へと向かうタイムマシンのようなシステムになりうる。ＳＦのように聞こえるかもしれないが、５Ｇ通信網が普及すればこれらの予測は現前していくだろう。既に僕のクラウド上の写真データにその契機が見える。

　このアイディアの鍵となるのは、人間と機械の新しい関係、つまり、人間が得た知見を機械に反映し、機械が蓄積した情報を再び人間に還元する関係だ。人間と機械の間に生まれつつある、高速で特殊な技術と人為のフィードバック・ループである。

　レイ・カーツワイル[注103]は、コンピュータが自律的な進化を遂げるようになるには、シンギュラリティ（技術的特異点）[注104]を超えなければならないと予見している。あるルールの中で問題を解いたときに、その次のフレーム（問題設定）を自分で見つけ出すことは、まだＡＩには難しいからである。知性が自らを発展させるには、どうしても外

注102　Facebookがアメリカで展開している監視システムで、ユーザーの投稿内に自殺の兆候が含まれていないかをＡＩが判定。自殺の危険性の高いユーザーには人間によるフォローや地元の専門組織へと通報といった対策が取られる。

注103　アメリカの未来学者、実業家、発明家。２００５年の著書『シンギュラリティは近い―人類が生命を超越するとき』で、機械的知性が人類の知性を超越する技術的特異点（シンギュラリティ）に言及し話題を呼んだ。

注104　ここでは特にテクノロジカル・シンギュラリティを指す。ＡＩの発達度合いが一定段階を超えると、ＡＩが人間の介在なしに高度な知性を再帰的に創造するようになり、そのサイクルから人類を超えた知性が生み出されるという説。

乱や閃きが必要になる。

それに対して人間は、フレームに収まらない要素を見つけ出し、協議し、それをインターネット上に論文として提出し、コードをGitHub[注105]にアップする。これを繰り返すことで、人間とコンピュータのカップリングが進行し、世界を進歩させる。要するに、人と機械のどちらが生み出したのか判別できないような集合知が生まれているわけだ。機械には不可能な判断を人間が行い、人間に実行できない演算処理を機械が担当する。人間と機械が両輪となることで、技術が進歩するのである。

こうした進化は、インターネットによって、一昔前には考えられなかったスピードで進んでいる。これまでの研究では、書いた論文を紙に印刷し、月1回くらいのペースで情報交換が行われていた。しかし、現在では締切の概念がなくなり、執筆が終わればすぐにarXivなどのウェブリポジトリに論文がアップされ、即座に閲覧可能になる。また実装としても、GitHubにソースを公開すれば誰でもダウンロードできる。

この変化は「スマートフォンの登場でテレビが変わる」といった話とは、本質的に異なる。人間に対するコンテンツとメディアの関係の変化ではなく、人間全員がコラボレーターとして機能する仕組みが整いつつあるということだ。

インターネットの発展史において、直接的に接続できないコンピュータ群をいかに一つの方向性に向けて最適化させていくか。この課題に対する解決と実装が、1980年代から90年代にかけて進行した。かつての機械を中心とした工学の時代には、物理的に離れた場所にいるエンジニアたちは、密に連携してモノを作ることはできなかった。しかし、今では人間とコンピュータが協働することで成果物を生み出し、ウェブに公開されたソースコードは誰でも実行できる。その成果を再びコンピュータに還元することで、パフォーマンスの向上を図るということが、当たり前のように行われている。

コミュニケーションをAIが補う世界

人間と機械を同一線上に捉えるサイバネティクスの発想を、コミュニケーション領域に拡張してみよう。

例えば、人間同士がスマホで通話しているとき、間の機械ではノイズの除去や帯域

注105 複数人でソフトウェアを共同開発するためのウェブサービス。バージョン管理システムとソーシャル機能を備え、バージョンの分岐（フォーク）や本流への反映（プルリクエスト）などにより、効率良く開発を進められる環境が用意されている。

の調整が行われているが、会話内容を文字で記録しようとしたときに、まったく別の処理系、つまり、音声通話の意味を正しく記録するための解析エンジンが噛まされる可能性は、充分にあるだろう。

人間の音声やテキストによる言語コミュニケーションは、メタ情報や、コンテクストがないと意味を確定できないケースが多く、音声をそのまま変換しただけのテキストでは、なかなか正しい意味が伝わらない。そこで、発話者の状況や趣味嗜好をもとに必要な情報を補足して、コミュニケーションの意図を汲んだ内容を記録するような補完技術が必要になる可能性が高い（この本における注釈のようなものである）。「おはようございます」という挨拶は、文字だと冷たい印象があるが、実際は元気な「おはようございます！」だったり、あるいはもっとハイテンションな「おはよう！ございます！」かもしれない。こういった、音声が本来的に持っている抑揚やニュアンスといったメタ情報を折り込んだ、コミュニケーションの副次的な機能を代替する技術が、コンピュータに求められるようになる。文末に「ハート」が付くのか、あるいは「！」が付くのかといった判断から、相手によっては自動的に敬語に変換するといった処理までも機械が行うようになりうる。こうなると、対話の相手が人間か機械かを考えることには、ほぼ意味がない。今は人間であることの証明にCAPTCHA[注106]や認証番号入力が使われているが、注107APIを用いたコミュニケーションが盛んである。人間側のタスクが増えるので、いずれは人間・機械の差なく許容される世界観となり、セキュリティシステムを構築するようになるだろう。

この次元に到達するスピードは国によって異なりうるが、鍵を握るのは文化的背景の中でも宗教の存在だ。日本の場合は、宗教的なイデオロギーは希薄であるし、本能的テクノフォビア（技術恐怖症）も少ない。むしろ戦後の日本には、技術立国というスローガンが存在したためテクノロジーへの親和性は高い。そのため過去の勤勉革命のようなテクニカルイノベーションなき生産向上の過去をふまえても、導入に踏み切れば世界諸国の中でも比較的早く変化を受け入れるのではないだろうか。

コンピュータによる直接的なコミュニケーションへの介入は、発話内容がコンピュータによって改変されることを意味する。当初は抵抗を感じる人もいるかもしれない。しかし、コミュニケーション不全の、不完全情報による行動はリスクでしかない。

注106　ウェブで広く用いられている、利用者が人間であることを確認するための技術。歪みやノイズが混じった文字列を、人間が正しく認識し入力することで判定する方法などがよく使われている。

注107　サービス利用者が本人であること確認するために、利用者が所有する別のデバイス（スマートフォンなど）に4桁程度の数字を送信し、それをサービスに入力することで認証を行う方法。

く、現在LINEで使われているスタンプは、既にそれを代替しているともいえる。同じ謝罪であっても「スンマセン」と「申し訳ありません」は印象に大きな差があるが、スタンプなら伝え方を工夫しなくても、非言語的コミュニケーションとしては同一になる。いずれ人間同士のつながりに機械が介在することで、コンテクストを共有し言語以外を用いて意図を伝達する超言語的なコミュニケーションが出現するのではないだろうか。

〈言語〉から〈現象〉へ

この〈言語〉を超えたコミュニケーションの出現という変化は、既存の言語等の記号を中心に体系化された世界にいると、理解が難しいかもしれない。しかし、〈言語〉を通して、新しい概念や感覚を表現しようとすれば、その限界は明らかになるだろう。言語の論理体系は周遊的な構造となり、どの言語の組み合わせが何の言語を生むかという話に行き着いてしまう。言語で記述した瞬間に、その枠組みに規定され、その裏にある非言語的な現象空間、生のデータで表現されるものに接続する回路が無意識的になる。「現象 to 現象[注108]」の多大な可能性が、言語化した瞬間に人間に理解可能な空間に縮退されてしまうのだ。この問題は古くから指摘されてきた。

しかし現在、この「現象 to 現象」の領域では、現象の外部にあるメタ領域は構造の一部として取り込まれ、現象それ自体の統計的性質がメタ性質としてふるまうという不可分の状態にある。「現象 to 現象」であると同時に「数式 to 数式」注109の接続関係でもある。学習済みモデルが解析可能であるがゆえに、抽象レイヤーを同時に含んでいるのだ。

例えば、天使のイラストから悪魔のイラストを生成するモデルや、広辞苑のデータから『魔法の世紀』を書き上げるモデルなど多様なモデル化が可能である。この構造は人間の脳では言語化不能であるし、フレームの外部を想定しなくてもメタ領域が思考可能になる奇妙な世界だ。

こういった非言語的な領域で活動している人間は、言語側の世界の人間からすると今までの思考のフレームワークでは理解不能だろう。同時に、前者は本人も自身の思考を言語化できないが、言語以外の領域において問題を解決していくことができる。

注108 一次データから一次データへの変換プロセスのこと。End to End AI に代表されるような、入力と出力の直接的記述を解析的モデルを用いずに行う処理を指す。

注109 統計的に明らかになった数理的論理から、解析的な数理的論理の関係性へと変換すること。

言い換えるなら、言語的な理解よりも先に当事者の意志によってモノが動く状態を「魔法」や「魔術化」と呼んでいるのだ。

この言語化不能な世界での思考で重要なのは、計画ではなく方向性だ。この計画は言語化のフレームのみにはおさまっていないので詳細には提示できないが、大まかな方向性はなんとなく見えており、実際にやり始めたらきれいに解けた、というように、現象と現象の関係で解かれてゆく。この過程で言語を経由すると、抜け落ちてしまう要素がある。これは、その言語的理解に終始する近代的な思想やポストモダニズムでは理解不能な枠組みで、そこに統計的テクノロジーと人間による実装を混ぜ合わせることで、その考え方にやっと人類は到達できるようになったのである。

そういった点で「言語」は不可逆圧縮を用いた不完全な情報伝達ツールだ。人間の知覚や体験を、本来の情報量を縮減した単語を用いて交流している。しかし現代では、ＡＲやＶＲの進歩によって、光や音を使ったコミュニケーションが発達している。空間そのものを他人に転送できれば、わざわざ言葉に変換して意味を削ぎ落とさなくても、空間自体を再生することで情報を伝える、本当の意味での「現象 to 現象」が実現する。そこで重要なのが脳の出力性能だ。[注110] 高精細な空間情報を直接転送しようとすると、人間の感覚器ではバスが足りないのである。

実は、この問題を別の方法で解決している生物がいる。イルカやクジラなどの海洋哺乳類だ。彼らは2000万年もの間、海中でコミュニケーションをしてきた。1km先の仲間と話ができるし、一匹一匹がコールホイッスルという個別信号を持ち、ブロードキャスト、つまり周波数帯を使っての全体送信と個別送信ができる。生まれながらにスマートフォンを持っているようなものだ。

イルカやクジラが水中生活に戻ったのは、進化論的には食料が豊富であったためと言われているが、コミュニケーションにおけるメリットは見逃せない。海中は、超音波で対話する生物にとっては秒速1・5kmで通信可能な空間だ。ケーブルレスで、電波も衛星も不要。紫外線を避けられてDNAの変化も少ないし、宇宙放射線の影響も受けにくい。天敵も少なく、気温の変化も地上より小さく済む。

一度は大気に適応しながら海中に戻った彼らは、そこで新しい伝送系を発見した。

注110　コンピュータがデータの伝送に利用する回路をバスと呼ぶ。例えばCPUに関しては、処理性能が優れていても、バスのデータ伝送容量が不足していると、そこがボトルネックとなり本来のパフォーマンスを発揮できない。あらゆるネットワークの性能はその転送バスの性能によって性能が決定される。

注111　多くのハクジラは、鳴き声によって音波を発信し、その反響を受け止めることで対象物からの距離を把握している（エコーロケーション）。これは、船舶や潜水艦が備えているアクティブ・ソナーと全く同じ原理である。

音響ソナー[注111]で空間把握を行い、その情報を同様の波動を使った伝達系で直接相手に転送する方法だ。そして、彼らの伝送系で発達したのは「言語」ではなく「プロトコル」による直接転送だといわれている。[参考20] 海洋哺乳類の研究者らによれば、イルカ語を碍害的に翻訳できないのは、会話が単語ではなくデータに近い構造で、一対の言語としての変換が難しいためで、おそらく空間情報のようなものを送り合っているのではないかと言われている。

インターネットや電話網に近い情報伝達ツールを持つイルカやクジラが、2000万年かけて非言語的で非物質的なコミュニケーションを獲得したのなら、インターネット以降の我々がマルチメディア環境によって言語から現象のコミュニケーションへと移行するのも、進化論的な必然なのかもしれない。

第 2 章

人間機械論、ユビキタス、東洋的なもの
——計算機自然と社会

コラム

魔術化とフェイクニュース

魔術化するテクノロジー

前著『魔法の世紀』では、現代社会の「魔術化」について論じた。これは1970年代にアメリカの批評家、モリス・バーマンが「世界の再魔術化」として提唱した概念[注112]を引用したものだ。

当時、高度化しつつあった社会システムの成り立ちを人々は理解できなくなっていた。なぜクレジットカードで決済が行えるのか。なぜマクドナルドのハンバーガーは安く提供されるのか。現在でも正確に説明できる人はほとんどいないだろう。

あらゆる物事を数理モデルで解き明かすことを命題にした科学技術とその集積化が発展した結果、人々はテクノロジーの中身が分からないままに、結果だけを享受する社会が訪れた。

こうした状況をバーマンは「再魔術化」と表現し、デカルト的な人間中心の世界観から、厳密な論理が成り立たない世界観への移行を予言した。そして、『精神と自然』を著したベイトソン[注113]を取り上げ、デカルト的世界観から、ベイトソン的世界観への変更を述べた。自然化のプロセスについては、前著、そして本書でも多く語っている。

実際、我々の身の回りのあらゆるところにコンピュータが入り込んでいるが、その内部で積み上げられているロジックの詳細は誰も把握していない。それでも我々はなんとなく納得し、その不可視性を織り込んだ上で生活している。これはその分野の専門家である技術者でもある程度同様にニッチ化している。

例えば、iOSに搭載されている対話プログラム「Siri」がなぜそう動くのか、厳密な論理は開発者自身にも分からない。統計的機械学習のパラメータを特定の値にしたら上手く会話ができたという結果があるだけの場合も多くある。

同じように、ビッグデータの解析をしているデータアナリストの一部は、なぜその結果に至ったのか認識できないこともある。古典的なＳＶＭ（Support Vector Machine）[注114]やRandom Forest[注115]などの演算モデルの結果であっても、データとデータの類似度はわからないままのケースは多い。

それはディープラーニングが普及し、ノウハウでネットワークを構築し、特徴量入力に関する探求が少なくなってからもまだ加速している。

あるいは、Amazonが提供している「Amazon Dash Button」。ボタンを押すだけで自動的にその商材が注文されるという消費者にとっては便利なサービスだが、同時に、他の商品に目移りすることなく購入させるためのロックアップが行われている。このボタンの背後では、プロセスが覆い隠される一方、巨大なパイの熾烈な奪い合いが展開されているのである。

このような世界では、身近な物事の裏側に不都合が潜んでいても、人々がそれを認識することはない。極端なことをいえば、そのボタンが発展途上国や紛争地帯とつながっていて、ドローンの操作系と連携していた場合、それを押すことで知らない人々を撃つ仕組みになっていても気づかないかもしれない。これは我々の世界認識がテクノロジーによって物質的に現実から乖離することによって起きる問題の一つである。

コンピュータにしか実行できない情報が増加すると、コンピュータと人間の間で共有する知識のあり方も変わってくる。１００年後の科学技術の論文では、ＡＩを使った入力と出力のための学習済みモデルだけが報告され、その原理は解析的には不明という注釈が付けられているかもしれない。

この数百年間、人間は脳で実行可能な知識を「真理」としてコレクションしてきたが、今後はプログラムやベクトルの形で提示される、コンピュータにしか理解できない知識も「真理」たりうる——これが新しいパラダイムだ。

もはや人間だけが真理を定義する存在ではない。我々は学校でニュートンの偉大さを学んだが、今後はニュートンのような役割を果たす学習済みモデルが現れてもおかしくはないのだ。そういった「飛躍」と「解析」の両輪を回す知能が求められている。

この状況から明らかなのは、人類の相対的な情報へのアクセシビリティは、全体の情報量が増えると低下するということである。これまでは情報量が多いほど情報の活用が進むと思われていたが、情報が増え過ぎると真偽や情報ソースの判別のコストが上昇するため、人々は都合のいい情報だけを選り好むようになる。

これは人類の、インターネットの平均化作用に対する敗北なのかもしれない。民主主義が想定する、主体的で能動的な「市民」は、伝達される情報量に制約があるからこそ成立したのだ。情報量が無限に増加しつつある今、人類全員が同じような市民像であることを前提とするのは困難である。

BBCやCNNは、時間をかけて検証することで、自社のストリームからフェイクニュースを排除しようとしているが、これはコスト面でペイしないだろう。また、AIがこの問題を解決することもありえない。なぜなら、正しい情報の抽出と同じ仕組みを使ってフェイクをいくらでも作れるというのが、先ほど紹介したGANのイノベーションだからである。

あらゆる情報がフェイクである可能性を排除できないのだ。

〈フェイク〉が生み出すイノベーション

「魔術化」はネガティブな問題も顕在化させる。その一例がフェイクニュースだ。社会の「魔術化」が進むと、情報の生成と流通の過程がブラックボックス化する。SNSが浸透する以前、人々はニュースを目にしたときに、それを取り上げるメディアも同時に認識していた。今、テレビや新聞の情報をウェブメディアが二次発信し、さらにFacebookやTwitterで拡散されるようになると、一次情報のメディアは認識されない。その情報の信頼性が誰によって作られ、どういう経緯で届いたのかわからないままだ。

そして、ニュースの真偽を問わずに、自身が見たい情報しか見ないということは、作られた虚構を見ているのと同じである。マスメディアの時代は、少なくともメディアを作る側は現実を前提にしていたが、今はメディアを作る側も受け取る側も現実を見ていない。つまり、どこにもリアルは存在していないのだ。

ない世界では、我々はそれを宗教的信仰のように無根拠に受容するか、自ら生み出した一次情報に頼るようになるだろう。とはいえ、情報がフェイクであること自体は、必ずしも否定すべきことではない。仮にフェイクであったとしても、そこに経済価値が生まれれば存在する意味はある。歴史修正主義のような否定的な感情を満たすための娯楽としてのフェイクニュースは例外としても、真偽の定かでない情報によって、市場が拡大され実装としてのイノベーションが生み出されることがあれば、その情報はフェイクではなくなる。

例えば、未だ世界に存在していない事業を立ち上げようとする起業家の発言は、その不確定性において、限りなくフェイクに近くなる。彼らの発信する情報は「風説の流布」に近く、事業の価値は実態より大きく見積もられ、バブルを形成している。バブルである以上、いつ弾けてもおかしくないが、そこで得られた莫大な資金は研究開発に投じられており、本当のイノベーションに転化する可能性も同時に秘めているのだ。

優れたアントレプレナーは、不確定な未来と現実のギャップを利用して資本を回転させ、イノベーションを引き起こす。このような市場の拡大に貢献する「ポジティブなフェイク」によってテクノロジーの発展が牽引されるのも、「魔術化」が進行した社会の、一つの側面なのだ。

注112 モリス・バーマンは著書『デカルトからベイトソンへ──世界の再魔術化』で、デカルト以降、科学的認識の普及により世界は脱魔術化したが、現代の高度化したテクノロジーや社会構造は、それに対する人々の理解を再び前近代的な段階へと引き戻すとし、これを「世界の再魔術化」と呼んだ。

注113 アメリカの文化人類学者、精神学者。サイバネティクスの影響のもと生物学、心理学など多岐に渡る分野で業績を残した。統合失調症を誘発する要因となる、ダブルバインド理論の提唱者としても知られる。

注114　機械学習の手法の一つ。パターン認識において定義（超平面）による分割で区分けをする処理（クラス分類）を得意とする。

注115　機械学習の手法の一つ。条件分岐によって分類する決定木を拡張した手法で、複数の決定木の組み合わせによる多数決によって、柔軟なパターン識別を行えるのが特徴。

第3章

オープンソースの倫理と資本主義の精神

計算機自然と自然化する市場経済

デジタルネイチャーの思想の中核にあるのは「資本主義」的な中央集権化したスケールモデルと「オープンソース」的な非中央集権型の分散モデルだ。この構造は、生態的ニッチ[注116]にも見られるように、自然現象にも起こりうる。対立する価値観にも見えるこの両者は、階層的かつ相互的に接続されることで、多様で自由な全体最適、均衡状態による両立、いわば「イデオロギーなき自然な全体主義への着地」を実現する。この章では、〈市場〉のスケールモデルと〈協業〉の価値分配から生まれるデジタルネイチャーの経済的側面を考えてみよう。

マルクスとウェーバーに還って現代のエコシステムを考える

私たちは、民主主義の社会制度と資本主義の経済圏の中で生きている。

1989年の東西冷戦の終結によって、共産主義は力を失い、資本主義が世界のスタンダードになった。資本主義の富の局在の超克を試みた共産主義というプロジェクトは失敗した。これは資本主義による富の偏在を「人間知能による全体最適性の探索」

という側面から更新する試みが失敗したことを意味する。しかし現代の資本主義はその内部から変貌を遂げようとしている。本書でデジタルネイチャーと呼んでいるような、計算機自然の汎化とソフトウェア開発手法のコモディティ化[注117]による限界費用の低下がそれであり、その原動力はインターネットを起点とした、相互接続された潤沢な計算資源とそのネットワークである。そして現在のインターネットページの情報閲覧プロトコルであるWWW（World Wide Web）[注118]が動き始めたのは、冷戦の終結した1989年のことだ。

現在、旧来の資本主義経済とは異なる動きを見せる概念が、インターネットを通じて広がり始めている。ベーシックインカム、オープンソース、クラウドファンディン

注116　生物学における生態的地位のこと。例えばサバンナでは、大型草食動物であるシマウマ、ヌー、ガゼルが同一の生態的地位となる。生態的地位が重なる種の間には、互いを出し抜き排除する競争原理と、食物などの資源を分け合う共有原理が同時に成り立つが、これは市場における資金調達によるスケールモデルと、オープンソースの関係と相似を為す。

注117　市場において商品間の性能差が小さくなり、消費者はどの商品を選んでも同じ価値を得られるようになる現象のこと。価格以外に差別化要素がなくなるため低価格化が進む一方、メーカーは利益を出すことが難しくなる。

注118　欧州原子核研究機構（CERN）のディム・バーナーズ＝リーが1990年に公開したハイパーテキストシステム。現在のインターネットの始まりとされる。インターネットそのものを指し示す用語として使われることもある。

グ、ブロックチェーン[注119]――これは「信頼」に基づいた協業や、計算プログラムによるインセンティブ設計によったガバナンスで駆動するシステムで、その根底にあるのは、自律的なシステムとそれに対する人間の「信頼」、およびそのコンポーネントとしての人間の信頼を可視化する評価経済や非中央集権型のコンピューティングによるエコシステムの枠組みだ。もちろんブロックチェーンの応用例（例えば仮想通貨）に見られるような非中央集権型のエコシステムが、プラットフォーム型システムよりコストが大きいことは留意しておく必要がある。

例えばクラウドファンディングは、その仕組み自体は古くからあるアプローチだが、インターネットというインフラによってスケール化し、一気に広がった。そこでは、インターネット上での〈受益者負担〉型[注120]のアプローチで社会問題の解決や、テクノロジーの更新を目指す共産主義的な側面と同時に、プロダクトの開発プロセスを市場に問うて資金調達し、イノベーションを生み出す資本主義的な側面を備えている。

こうした新しい経済活動を考える上で、〈近代〉における社会の構造を読み解いたカール・マルクスやマックス・ウェーバー[注121]の思想は、その原点に立ち戻ることで重要な手がかりを与えてくれる。現在勃興している非中央集権型の経済、例えば評価経済社会や、暗号通貨のエコシステム[注122]、ブロックチェーン上のスマートコンテクストプラットフォームであるイーサリアムを用いたICO[注123]などが、〈近代〉の社会構造をどのように更新しようとしているかを明らかにするきっかけを得ることができる。

カール・マルクスは『資本論』[参考21]で、封建領主と農奴の関係、生産様式や搾取、余剰価値や過剰生産などの分析によって、社会の発展過程と資本主義経済の成り立ちを読み解いた。唯物史観と呼ばれる彼の思想では、二項対立が止揚されることで社会が新しい段階へと進む弁証法的展開が、決定論的に起こっていくとされる。そして、政治

注119 分散型台帳技術。過去の記録をブロックに保存し鎖のように連結することで、改ざん不可能なデジタル情報を構成する仕組み。中央集権的なシステムを介在させずに情報の完全性、可用性、機密性を保てるところに特徴があり、ビットコインをはじめとする仮想通貨の基礎技術となっている。

注120 クラウドファンディングは、製品やサービスを求めるユーザーの投資を原資とする、受益者負担の原則で成り立っている。これは投資家（資本家）とユーザー（労働者）の区別を無化する点において共産的であるといえる。

注121 ドイツの政治学者・社会学者・経済学者。宗教研究を通じて西洋近代の成立過程を読み解き、後の社会学に大きな影響を与えた。主著に『職業としての政治』『プロテスタンティズムの倫理と資本主義の精神』。

注122 分散処理系のネットワークを支えうるインフラ保持努力と、それに見合う代償をコードによって規定することで成立する生態系のこと。

注123 イーサリアムは仮想通貨の一種として取引されているが、本来は分散型アプリケーションやスマートコントラクト（自動契約機能）を構築するためのプラットフォームを指す。オープンソースで拡張性も高いことから、仮想通貨以外の用途が期待されており、ICOでは現在もっとも実績のあるプラットフォームとなっている。

的な上部構造は、経済的な下部構造によって規定されると主張した。

これに対し、マックス・ウェーバーは『プロテスタンティズムの倫理と資本主義の精神』[参考22]の中で、ヨーロッパでの初期資本主義の形成の過程で、プロテスタンティズムが果たした役割について論じている。ウェーバーの議論で重要なのは、マルクスのいう下部構造としての経済（資本主義）の成立過程において、宗教的倫理が重要な役目を果たしていた、つまり「経済の根底には文化がある」という指摘だ。

この論文では、ルターからカルヴァンへの流れを辿りながら、労働で得られた対価を蓄積することなく、資本として新事業に再投下することを善とするプロテスタンティズムの禁欲的な行動様式が、資本主義の誕生につながったことが説明されている。ただし、この論でのウェーバーの立場は、マルクスのようなある種運命論的な決定史観ではない。プロテスタンティズムは資本主義を成立させた複雑な要因の一つであり、それだけが資本主義の進化の決定的な要因だとは考えていなかった。

かつて「プロテスタンティズムの精神」という上部構造の作用による資本主義の誕生をウェーバーは記述しようとしたが、デジタルネイチャー化する世界において、このプロテスタンティズムに対応する共通プロトコルとしてのイデオロギーに与するものはオープンソースの精神である。この精神が資本主義の変化を促す際に、重要な役割を果たすのはブロックチェーンなどの価値の保証のためのテクノロジーである。このときマルクスの言う下部構造とはテクノロジーそのものである。つまり、テクノロジーとそれを受容する人間側の精神の相互作用によって、現代の資本主義は変化しつつある。テクノロジーと人間は新たな生態系を為しているといえるのだ。

現在、インターネット上の経済は「情報」によって駆動される、ある種のエコシステムを形成している。物質的な制約に囚われないそのネットワークや仮想通貨[注124]は、効率的な交換を人間と環境の間で可能にし、絶え間なくイノベーションを生み出している。

では、我々の経済や社会は、18世紀に確立された資本主義や民主主義を発展的に乗り越え、どのようなシステムを生み出すのか。

注124 狭義には、例えば、デジタル化された貨幣で、国家や公的機関の承認がなく、中央銀行による管理も受けないが、決済手段として社会的に認められている暗号通貨などを指す。広義の概念としては、暗号通貨を含む実体を持たない通貨はすべて仮想通貨である。暗号通貨においては、２００９年のビットコインの公開以降、膨大な種類のアルトコインが作られ、流通している。

例えば、国家の市場への介入を認めるケインズの修正資本主義はデジタルネイチャーの世界観（自然化された最適解）とは一見相性がよくないが、国家における貨幣の発行や市場の多層性をブロックチェーンやＩＣＯによって拡張すると、今まで財政政策と金融政策でしか適応不可能だった市場介入が、中央銀行のみではなくＩＣＯや仮想通貨への税制やコードによる流通量などの動的記述を含む第三の選択肢を取りうるようになる。既存の議論では、物質性や物理的境界によって国家を成立させる前提に成り立っていた。分散型でセキュアなシステムは国家の定義自体をも更新可能かもしれない。中央と分散の両立は既存の国家に対し、多数の様態を生成するが、必ずしも非中央集権型技術は脱国家や通貨の更新のみを目指すものではない。あらゆるインフラを近代的統一状態から変化させることもあるはずだ。

では、まずオープンソースの精神の解説から始めて行きたい。

オープンソースの倫理と資本主義の精神

「オープンソース」と聞いて何を思い浮かべるだろうか。Linux、Firefox、

OpenOffice、GIMP、Ruby、Nginx、MySQL、WordPress——2000年以降のインターネットのサーバー通信プロトコルに関する基礎技術はほぼすべてオープンソースであり、それなしでは我々はWebページの閲覧やメールのやり取りすらできない。

そもそもオープンソースとは何か。現行のインターネット社会では、開発者の著作権表記を保持しながら、誰でも改変、再配布を自由に行うことができるライセンスが複数ある。そのソフトウェアを中心に巨大なコミュニティが構成されていて、ソースコードの公開、改変、再配布の自由は、ある種のイデオロギーとして、世界中の開発者の間で共有されている。

オープンソースは、このようにソフトウェア開発の歴史の中で、コンピュータギークたちが、どうやってソースコードを共有し、コミュニティをより便利でより拡張されたものにしていくのか、という問いから始まった思想である。例えば、Appleの創業者の一人であるスティーブ・ウォズニアックは、カリフォルニアでのコンピュータギークの集まりの中で、自作のソフトウェアを無料で配布したり共有したりしていた。一度開発されたソフトウェアは、デジタルデータであるため、それ自体もコピー可能であり、その限界費用はゼロであるから、相互に開発の知見やソースコードそれ自体を共有可能にする方が、開発者コミュニティにとって望ましいという考え方に基づいている。この考え方は、黎明期にはスケールモデルによってマネタイズを成功させたいスタートアップにとって足かせになりやすいが、インフラの発展以降はかえってエコシステムを活発化する。

世界全体の利潤をインフラベースで考えると、オープンソースの影響力はとてつもなく大きい。今や市場の寡占を目指す資本主義モデルは、オープンソースなしでは立ち行かなくなっている。その一方で、オープンソースもまた、資本主義の株式市場が生み出すキャピタルゲインの余剰なしには成り立たない。

現在のインターネットビジネスでは、市場への最適化の結果としてプラットフォームが生成され、それが安定すると、また別の場所に新たなプラットフォームを作り出そうとする動きが生まれる。この仕組みを駆動しているのが、ウェーバーのいう「資本主義の精神」に駆動されるキャピタルゲインと恒常的な資本の余剰から生まれる再投下だ。新たなプラットフォームの成功は、そこで生み出される価値を、次の投資対象へと向ける。その過程で、プラットフォームから非中央集権的に、共有財であるソースコードが投下され、それがオープンソースとして新しい技術のベースとなっている。

例えばマックス・ウェーバーの『プロテスタンティズムの倫理と資本主義の精神』

には、有名な一説がある。

今日では、禁欲の精神は——最終的にか否か、誰が知ろう——この鉄の檻から抜け出してしまった。ともかく勝利をとげた資本主義は、機械の基礎の上に立って以来、この支柱をもう必要としない。禁欲をはからずも後継した啓蒙主義の薔薇色の雰囲気でさえ、今日ではまったく失せ果てたらしく、「天職義務」の思想はかつての宗教的信仰の亡霊として、われわれの生活の中を徘徊している。そして、「世俗的職業を天職として遂行する」という、そうした行為を直接最高の精神的文化価値に関連させることができないばあいにも——あるいは、逆の言い方をすれば、主観的にも単に経済的強制としてしか感じられないばあいにも——今日では誰もおよそその意味を詮索しないのが普通だ。参考23

プロテスタンティズムの、富の蓄積を戒め再投資を促す禁欲的な倫理は、初期の資本主義を成長させたとウェーバーはいう。しかし、その枠組みが形成された後では、もはや禁欲的な倫理は必要とされず、資本の再投下は自動的に行われるようになる。資本に投資し、そこから得られた利益を、さらに新しい資本へと再投資する。これは人的エコシステムの形成でもある。こういった資本主義的な行動様式を身につけた人々は、古典的な宗教的倫理という支柱がないまま、経済的な功利性によって突き動かされる。今や我々は、宗教的倫理を欠いたまま、インターネット上の資本主義を駆動するようになった。このウェーバーの指摘は興味深い。確かに今の我々は「資本主義の精神」に基づいた振る舞いをしているが、その「資本主義の精神」の根底においてプロテスタンティズムの禁欲的な倫理性は、もはや関わっていない。

そして今日においては、プロテスタンティズム的な宗教的支柱の代わりにあるもの、我々の社会の下部構造としての資本主義を、さらにその外側から規定しているのは「オープンソースの倫理」だ。その相補的エコシステムが自然化している。

それは単にソースコードを無償で公開する行為のみならず、「GitHub」のコミット文化や、ブロックチェーンにもとづく仮想通貨のソースコードやネットワークノード、多くの人々のコントリビュートで開発を進めるメイカーズのエコシステムなどを含めた、従来の経済的概念の外側にある評価経済をベースにした動き、ネットワークとして可視化された「信頼」に基づいた協業の精神すべてを指している。信頼という情報、オープンソースに対する貢献は評価経済を形成する。この評価経済とは、ソフトウェア開発の共同体に対する貢献を可視化し、その貢献によって得られる対価を交換することにその本質がある。例えばトークン[注125]などがこれに該当する。ある貢献に対してその対価としてトークンを付与した場合、そのトークンを用いて誰かの貢献と交換したり、ほかの市場で交換したりすることができる。この評価経済によるトークンは既存の資本主義経済ともリンクしうる。例えば、ICOによる資金調達などは、非中央集権型のプロジェクトへの貢献の対価をトークンで配布し、そのトークン自体の金融価値を市場原理により自然的に規定したものである。

この変化の背景には、社会や産業のソフトウェア化が生み出す数理的なダイナミズムがある。古いモノを土台にしながら新しいモノを組み立てる、その連携速度は、限界費用ゼロ[注126]の達成、例えば仮想通貨やオープンソースソフトウェアなどが「物質性」を超越したことで劇的に加速していく。こうした動きが、古いハードウェア的世界観を飲み込みながら、情報と信頼による新しい経済構造を自然化しつつあるのだ。

絶えずリセットされ続ける市場の出現

オープンソースが拡大した社会は、「生産手段の共有」がもたらす汎化によって、共産主義的になると考えている人がいるかもしれない。しかし、現在起きているのはその真逆で、むしろ市場原理の極限ともいえるような、イノベーションが短期間でリセットされ、常にゼロベースの競争を余儀なくされる世界だ。それは現在のアントレプレナー的な生き方と似たものとなる。

これはスタートアップの市場における価値変動を示したグラフだ［図1］。縦軸が市場価値、横軸が時間を示している。最終的な目標はIPO（株式公開）やイグジット（会社売却）だが、9割以上のスタートアップは、シリーズAの資金調達に到達する手前、シードと呼ばれる段階で頓挫する。したがって、スタートアップの事業に携わり続ける大多数のプレイヤー（シリアルアントレプレナー）はこの最初の壁、シードからシリーズAの段階を幾度となく繰り返すことになる［図2］。オープンソースの自然化によってあらゆるものに市場原理が導入された社会では、この短期的なリセットに、市場の全員が晒されることになる。なぜなら、オープンソースが普及した

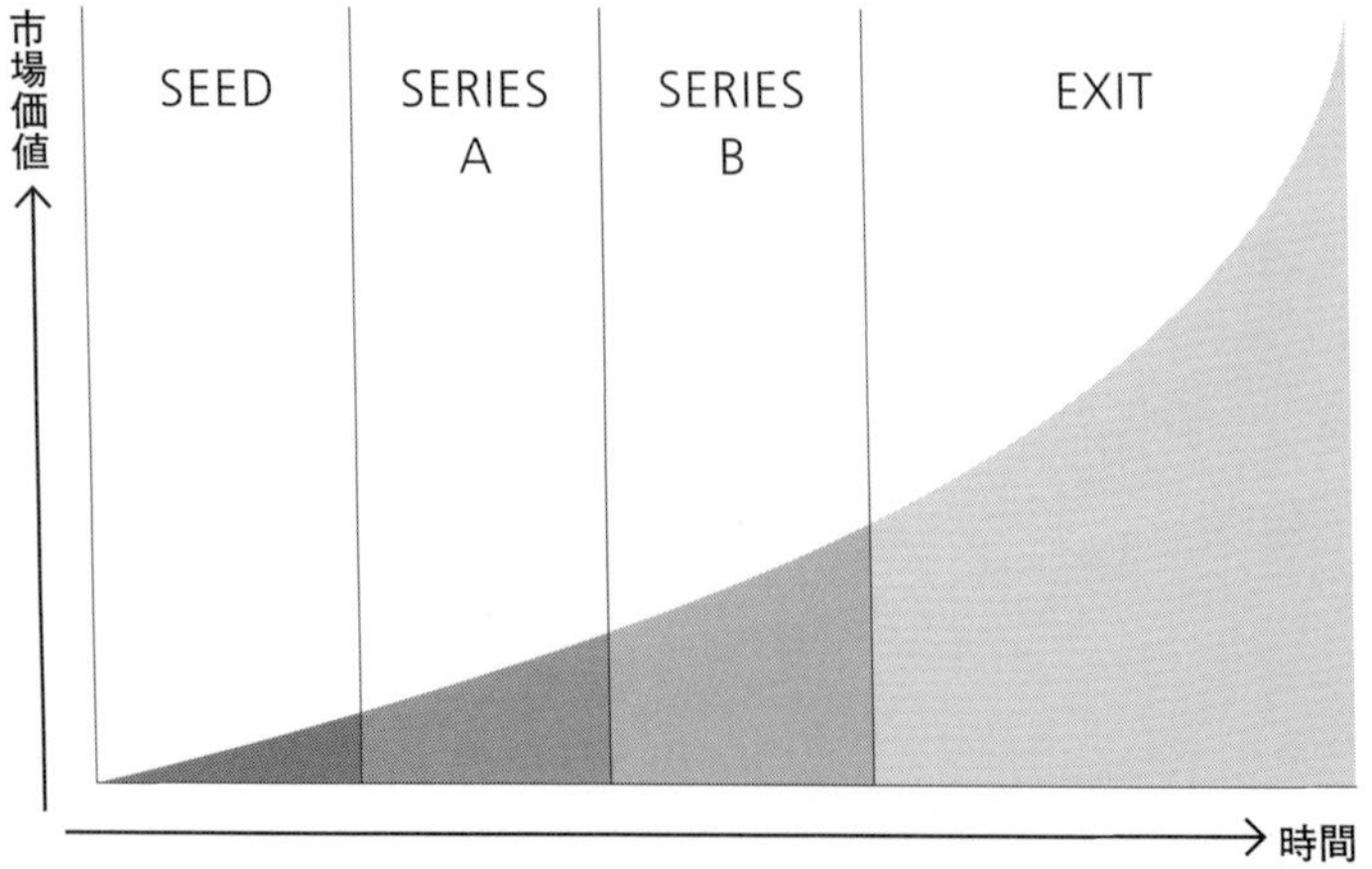

図1——一般的なベンチャーファイナンスの時間と市場価値の図

社会では、コモディティ化という市場価値の上限を生み出す壁や、特定のプラットフォームが市場を寡占化したことによる停滞状態が早い段階で立ちふさがるからだ。新しく現れた知見や技術は、〈受益者負担〉のオープンソースに取り込まれ、社会の共有財産であるインフラや「下駄」の一部となり、市場価値はリセットされる。過去の例としては、スマートフォンのプログラムにおいて「絵文字」が含まれていなかった頃はソフトウェア開発者は「絵文字アプリ」を開発することで、絵文字を使いたい消費者からの売り上げをプラットフォームを通じて

注125　貨幣の代わりとなりうるようなもの。代替貨幣のこと。例えばチケット、引換券など。

注126　限界費用とは経済学用語で、モノを増産する際に必要な（初期設備投資や原価を除いた）追加費用のこと。ジェレミー・リフキンは著書『限界費用ゼロ社会　〈モノのインターネット〉と共有型経済の台頭』の中で、インターネットや3Dプリンタによって限界費用は限りなくゼロに近づき、今後は商品やサービスの無料化がさらに加速すると予測している。

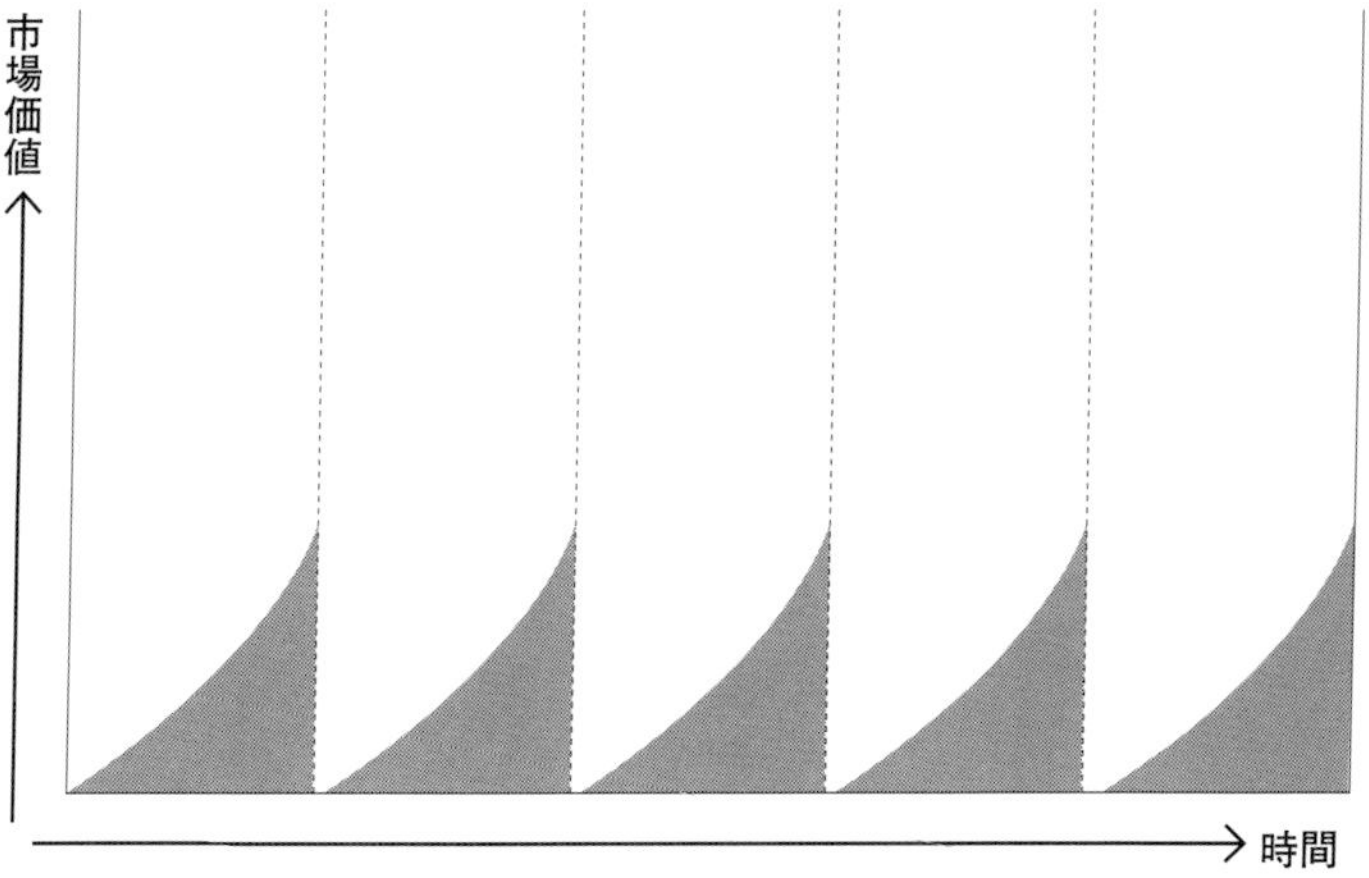

図2―短期間でリセットされる市場価値の図

得ていた。しかしプラットフォーム側によって、それが必要であると認識されると、「絵文字」機能がプラットフォーム上に標準搭載された。そのことで、個別の開発者の開発する「絵文字アプリ」を購入するユーザーはいなくなり、価値が下がったことなどが挙げられる。誰もがそういった機能をいくつか思い浮かべることができるだろう。

そこでのプレイヤーは、ある一定のラインで行きつ戻りつを繰り返す三角波のような市場価値の評価を得る。彼らには、繰り返されるコモディティ化の断絶を乗り越え、継続的に新しいテーマにコミットし続ける能力が求められる。これは、既存の仮想通貨がアップデートを続けなければ価値が低下していくことにも現れている。ハードフォーク[注127]やＧＯＸ[注128]が定常的に繰り返されながら、こうした市場自体が進化していくのである。

この現象が起きるのは従来の市場経済だけではない、いわゆる評価経済と呼ばれる、個人の価格付けのシステムでも、似たような状況が現れると考えられる。日本でも、個人の価値や信用や時間を証券化し、売買可能な市場を提供するサービス「VALU」[注129]が登場しているが、こういった個人へ市場原理を導入するシステムも価値の蓄積が難しく、常にリセットされ更新され続けながら成長の壁に突き当たる過酷な世界になるだろう。
　国家による信用保証と中央銀行の統制による市場においては貨幣のケインズ的所得速度[注130]に発行や承認の物理的制約や、人間の稼働的制約が伴っていた。しかし、現在、非中央集権型の仮想通貨などに見られるように、取引所での信用創造やブロックチェーンのノード間の通信による貨幣流通のソフトウェア化が行われている。人間のコミュニケーション速度を超えた信用創造によって、今後生じる市場経済は高速にマーケットキャップを拡大させるだろう。
　これは社会を成り立たせるための制度を突破させる「いくつかある技術的シンギュ

注127　ソフトウェアやシステムの新しい系統を生み出す分岐のことで、以前のバージョンとの互換性が絶たれる場合を指す。互換性を維持した仕様変更はソフトフォークと呼ばれる。

注128　不正アクセスなどによって仮想通貨を紛失すること。２０１４年にビットコイン交換所の「Mt.GOX」が不正アクセスによって１１５億円相当のビットコインを失った事件が語源。

注129　株式会社VALUが２０１７年に開始したウェブサービス。少額のトークンを発行し売買を行うことで、個人の活動を支援することができる。

注130　所得速度（流通速度）は、社会の中での流通する貨幣の回転数のこと。ケインズは所得速度の上昇と景気の加熱には相関関係があるとしており、仮想通貨によるボトルネックの排除とそれに伴う所得速度の上昇は、さらなる市場経済の発展を促すだろう。

ラリティ」の一つだ。信用創造のシンギュラリティは、暗号通貨に限らない仮想通貨やデジタル物々交換の先にあるのかもしれない。

ただし、これは我々の社会が、オープンソースによる資本主義と市場原理の変質を、このまま強化していった場合の想定だ。今、起こりつつある変化に、どれだけの人が追従できるのか。それによって、これからの社会が、オープンソース的な資本主義に変化し、国家や共同体の更新なども行われるのか、あるいは従来の資本主義のまま留まるのかが決まっていくだろう。

オープン化したソフトウェアがもたらした、万人に開かれた知識と技術の「下駄」。それに追従する人間が多いと、インターネットは全体主義的（機械知能と人間知能の相互干渉による全体最適化的探索システム）になっていく。これはレイ・カーツワイルの言った技術的特異点（Technological Singularity）に通ずる議論だ。新しい知見はすぐに普及してその価値を失う。新技術の登場とコモディティ化が短期間で繰り返される社会になっていくだろう。それを担う人間の技術習得による課題をＡＩとインターネットによる集合知と蓄積が生み出していく。「下駄」の使用許可を持つ人々にとってそれはインフラであり、その価値自体は「自然的」に決定されるのだ。

逆に、オープンソースの思想がそこまで力を持たなかった場合、インターネットは従来の資本主義性を強める。そこでは、インターネットでプラットフォームを保持する企業を中心に、多少の価値の上下はあるが、基本的にはこれまでと同様、知識や技術は閉じた領域に蓄積され続けることによって価値を漸増させていくはずだ。どちらの社会に近づくかは、オープンソース側の技術的イノベーションの速度と、その発展のために市場から金融価値を得る速度がどれくらい既存の資本主義経済にとって無視できない程度の影響力を持つかによって決定されうるということだ。その影響力が軽微だった場合は、資本はより集中され、プラットフォーマーはプラットフォームを拡大し続ける。経営ゲームにミスがなければプラットフォームの拡大が続く。

この二つの社会は、両者の均衡を保つだろう。そこで一ついえるのは、ベーシックインカムのような制度は、オープンソースによる全体主義的な世界でこそ意味を持つということだ。なぜなら、従来の資本主義の世界においては、「持てる者」は知識や技術を蓄積し市場価値をどこまでも上昇させることができるため、「持たざる者」は相対的には価値を失い続ける。それに対して、ここで議論しているオープンソースの精神を内包した資本主義の世界は非中央集権的なので、「持てる者」が積み上げた価値は短期間でリセットされ、万人に共有される「下駄」となる。

前者では持てる者と持たざる者との関係性は、累進課税などの既存システムの応用によって調整可能である。しかし、後者の場合は価値変動が大きく富の蓄積が難しいため、機会の平等を保証するためには累進課税的な所得移転よりも、ベーシックインカム的な「人的資本維持のための」下駄の導入の方が望ましい。なぜなら、人的資源の維持の限界費用はゼロではなく、その保証を行うことが市場維持のために不可欠だからである。もちろん、これはやや遠い未来のシミュレーションであり、当面はこの両者はハイブリッドで機能していくだろう。しかし、知識や技術の特権的独占のない、ほぼ完全な意味での「機会の平等」が実現した社会においてこそ、格差の調整弁としてベーシックインカムは機能するのだ。前者のような特権的独占の上に敷かれたベーシックインカムは、人間的労働力の保存と反乱の抑止としてしか機能しないだろう。

オープンソースの倫理が変える社会

既に我々は、情報社会を支えるインフラとしてのソフトウェアという観点では、オープンソースなしでは生きていくことができない。この資本主義の世界は、そのような無償のソフトウェアの蓄積の上に成り立っている。

オープンソースという概念や、それによって支えられたインフラは、インターネット以降の人類のみが持ち得る特殊な環境だ。こうした環境が整備されることが人間の社会をどのように変えていくのだろうか。

今我々が生きているのは、「オープンソースの精神」と「資本主義の精神」が拮抗し、両者の生存戦略が模索されている計算機自然の世界だ。２０００年以降に全面化してきたオープンソースや非中央集権的な仮想通貨などの社会システムを、どうやって従来の資本主義と共存させていくのか。オープンソースが生み出したものを、いかにして市場経済の枠組みの中に取り込んでいくのかという葛藤は、ＩＣＯや中央集権型のシステムへの非中央集権のブロックチェーンの導入に見られるように、あらゆる場所で起き始めており、議論が活発に行われている。

このようなオープンソースと従来の資本主義の関係は、今のところ繊細なバランスの上に成り立っている。例えば、中国政府の仮想通貨に対する規制や、韓国政府の仮想通貨取引所に対する規制とその緩和、非中央集権的通貨の取引所における詐欺コインの横行など、さまざまなことが起こっている。

このような状況下で、もし仮に、すべてがオープンソースとなってシェア化されたときに、果たして現行の市場経済は維持されるのだろうか。現行の投資モデルは資本の集積と再投下によって成り立っているが、プラットフォームとしてすべてが共有財産になった場合、シェアされた利益はどのような意思決定アルゴリズムで再投下されるべきなのか、その判断は非常に難しい。これは現行のビットコインに見られるＰｏＷ（プルーフオブワーク）[注131]や、イーサリアムのＰｏＳ（プルーフオブステイク）[注132]移行といったコンセンサスアルゴリズムのように、多種多様なアルゴリズムが開発途上である。しかしながら、このコンセンサスアルゴリズムが乱立し続けることで価値の決定が先延ばしになることは著しい停滞を生む可能性や、バブルの崩壊のようにオープンソースが成り立たせる価値信用の低下をもたらすかもしれない。

その一方で、公共的なプラットフォームが資本主義的な価値観によって運用されている現在の状況は、必ずしも安定的ではない。例えば、２０１８年におけるFacebookの個人情報管理問題に見られるように、Appleが突然App Storeの閉鎖を余儀なくされたり、GoogleがAndroidの機能を停止しうる可能性はゼロではなく、そこに関して我々は極めて敏感にならざるをえない。公共的プラットフォームの長期的な運営には従来の国境線での分断とは異なった形式が必要だろう。現代ではそういったデジタル記録のための公共的な手法が積極的に議論されている。このほかにも、例えばUberによって賃金を得ているドライバーやAirbnbによって宿泊費を得ることで生活している人は、プラットフォームがサービスを停止した場合、生活費を得ることができない。しかし、もしUberやAirbnbの機能がオープンソースになった場合、ユーザー側のコンセンサスによってプラットフォームは〈受益者負担〉型システムになって維持されうる。この場合は、実際の労働や管理を行うユーザーによって非中央集権的にシステムが保持され、トークンによる評価経済を形成することで運営されうる。こういったブロックチェーンの利用が普及することで、非中央集権型のオープンソース的資本主義社会を「自然に」形成する可能性がある。

また、このような運用例を今のDropboxやGoogle Driveなどのプラットフォームに適応するには一手間かかるかもしれないが、現在普及途中のブロックチェーンを用

注131　ブロックチェーンにブロックを追加する際に、高負荷の計算処理（マイニング）を課すことで、不正な改ざんを防ぐ手法。中央集権的な管理システムが不要なため、運用コストがかからないメリットがある。ビットコインの信頼性はこの手法によって担保されている。

注132　ブロックチェーンのマイニングの優先度を、トークンの保持量や過去の実績で調整する手法。ＰｏＷはコンピュータの計算力競争となるため、世界全体で膨大な電力を消費する問題があった。ＰｏＳでは計算力以外の競争によって電力消費の無駄を抑制することができる。アルトコインの多くがこの技術を採用している。

いた経済システムは前述したようにデジタルエコシステムの保持に貢献しうる。人口減少が進む日本のような現状においてはこうした非中央集権的オープンソースこそが、我々の人為的な計算機自然を作りうるだろう。なぜならば、我々の存在する現行の物理的自然は、相互の関係性が稠密である。例えば、球を落とせば重力によって引かれ、地面にぶつかり、弾性係数によって反動し、摩擦力によって静止する。このすべての関係性は物理法則によって成り立っている。ブロックチェーンの生み出す非中央集権的な開発工程と価値交換は、この「物理法則（オープンソースのプログラムによるガバナンス）」をその都度生成し、デジタルデータの相互関係性を記述し、生成し、互いの関係性を被覆してくことに近い。

この章では経済のデジタルネイチャー化について記述してきたが、これは、前章の物理世界のデジタルネイチャー化と同様の技術革新と構成要素によって成り立っていることに注目したい。つまり、人為と計算機によって成り立つデジタルエコシステムが近代的人間を前提とした人為を超越し、現行の市場の価値の動きに見られるように「自然」に振る舞ってこそ、デジタルネイチャーは表出しうる。デジタルで定義されるものの価値や、その物理作用、経済作用を伴った互いの相互作用は「自然に」コードによって定義されうる。エネルギーによる物理的価値と信頼による経済価値の相互的な関係によってエコシステムは拡大し、ルールとその維持に関わるコミュニティが生成されていくのだ。その先にはＩｏＴ（Internet of Things）の時代から、ＢｏＥ（Blockchain of Everything）[注133]の時代が待っているのかもしれない。経済におけるEnd to Endの示唆は、物理世界に対する自動価値算定の可能性の示唆でもある。進化と汎化による価値の探索の観点からすれば、我々の生物的な物理実装である「デジタル記録されたＤＮＡ」もブロックチェーンの一種に見える。

今、ブロックチェーンを用いてオープンソースから従来の資本主義側に価値を提供する上で、さほど大きな問題は起きていないが、もし資本側が公共投資的な資金供給ではなく、オープンソース自体を買収しようとすれば、これは大きな問題となるだろう。例えば、ビットコインのブロックチェーンに対する51％攻撃[注134]などがこの事例として挙げられるが、もしビットコインのエコシステムが充分に稼働していた場合、プラットフォームがその戦いに勝利するのは難しいだろう。しかし、未だ大規模なス

注133　ブロックチェーン技術の可能性は通貨機能の代替だけではない。将来的には世界のあらゆる事象がブロックチェーンを基盤にした技術によって表現される可能性があり、それを本書では「Blockchain of Everything」と呼んでいる。

テークホルダーによる恣意的な価格操作などの危険性が高いこと、また、中央集権型のアルゴリズムはその維持のためのコンセンサスアルゴリズムのコストを低くすることができることは覚えておくべきである。例えば、ビットコインはその維持にデンマークの電気供給量の総量と同レベルの計算エネルギーを使用しているが、VISAやMaster、PayPalなどの中央集権型の決済システムは、それに比べればはるかに低エネルギーで運用されている。つまり、利用過程や技術の発展過程により最適なシステムが異なるのだ。

ここで、プラットフォームとオープンソースを、対立構造ではない観点から見てみよう。オープンソースによって社会が少しずつ変化すると、それによってプラットフォームの構造も変わってくる。例えば、Googleの情報検索のアルゴリズムやFacebookのソーシャルグラフのソースコードは、現在オープンソースとしては公開されていないが、その代わりにAPIが提供されることによって、外部のプラットフォームから自由にその機能を利用できるものも多い。要するに、自由に価値を提供したり、逆に価値を享受できるような枠組みが共有されるようになってきたということだ。こういった枠組みも「シェアリングエコノミー」や「ソーシャルグッド」[注135]といった風潮を支えている。

現代における、シリコンバレーから拡大し全世界的で一般的となりつつあるビジネスモデルは、限界費用ゼロのサービスを提供することで薄く広くユーザーを獲得し、そこに市場原理に伴う資金の投下を繰り返すことで、最終的に利益を生み出すまで事業を育てていく。こうしたモデルが、オープンソースと資本主義が共存を始めた社会においても続いていくのかを改めて考えていく必要があるだろう。

各分野で生まれるオープンソースの二重構造

ここまでインターネットやコンピュータ業界でオープンソースという新しい価値が生み出した変化を論じてきたが、この動きは他分野にも拡大しているといえよう。

例えば、バイオ分野の研究では、遺伝子のコーディング、CRISPR-Cas9をはじめ

注134　ビットコインのブロックチェーンは、その仕組み上、マイニング全体の50％を超える計算力を保持したユーザーがいればトランザクションを書き換えられる。これを51％攻撃と呼ぶ。ただし、世界中で大規模な採掘が行われている現在、その実現は極めて困難であると予測されている。

注135　ソーシャルサービスを通じて社会問題の解決や社会貢献を促進する取り組みのこと。2014年にALS（筋萎縮性側索硬化症）に苦しむ人々をサポートする目的で始まった「アイス・バケツ・チャレンジ」などがある。

とするゲノム編集[注136]、iPS細胞の製造といった先端技術の基本的なアイディアがオープン化されている。もちろん多くのバイオ系企業は特許によって売り上げを得ているが、iPS細胞であれば、最初の発見者である山中伸弥氏の特許を確保した上でその技術が開放されているため、研究利用に向けた整備が進んでいる。また、関連企業はライセンス料を支払うことで製造を手がけることができる。このように最新の研究成果が「知のインフラ」として整備されることで、自前で細胞を製造できない小規模なベンチャー企業でも、バイオ系企業に依頼してiPS細胞を購入し、新しい心筋細胞や網膜細胞を作るといったアプローチが可能になってきている。

同じことはハードウェアの分野でも起きている。Arduino[注137]などに代表されるオープンソースハードウェアの登場だ。インターネット上でハードウェアの設計図や回路図が無償で公開されていて、SparkFun[注138]などでハードが製造されている深圳の工場に発注をかければ、誰でも安い金額で用途に応じたモジュールを製造できる。

こうした変化は、オープンソースの思想が社会全体に行き渡り、さまざまな分野で知的なインフラの整備が進みつつあることを示している。資本主義から分化したオープンソースが下部構造となることで、資本主義—オープンソースの相互作用が形成される現象が、あらゆる情報産業でも生まれ始めているのだ。

オープンソース的なメソッドで運営されるシステムは世界中に増えている。オープンソースを担っている組織は、主に大学や個人、ＮＰＯ、財団・社団だが、中には企業内のプロジェクトとして運営されているものもある。スケールモデルの資本主義側[注139]のプレイヤーとしてベンチャー企業やベンチャーキャピタルを挙げることができる。この両者はジャンルを越境しながら相互に密接な関係を築いており、さらには、特定の組織に依存しないオープンソースのシステムや市場それ自体を、ブロックチェーンで実現しようという動きも生まれている。

注136　ＤＮＡの塩基配列の切断や結合を行うゲノム編集技術のこと。２０１２年にエマニュエル・シャルパンティエとジェニファー・ダウドナが実用化に成功。遺伝子操作の可能性を大幅に広げる革命的技術として注目を集めている。

注137　オープンソースハードウェアのマイクロコントローラ。２００５年の登場以来、リーズナブルな工作用基盤として人気を集め、様々な派生モデルが製造されている。

注138　SparkFun Electronics。ネイサン・サイドルが２００３年に創業したアメリカの電子機器メーカー。オープンソースハードウェアを数多く製造・販売しており、メイカーズムーブメントとも密接な関係にある。

注139　資本主義は中世以前から存在していたが、スケール（成長）を志向しない小規模なものだった。17世紀、オランダ東インド会社への投資を募るために、最初の公開証券市場であるアムステルダム証券取引所が誕生。19世紀になると産業革命による巨額の設備投資の需要から、巨額の資金調達のサイクルが動き出し、成長を前提とした資本主義が全面化していった。

これまでもアカデミズムでは、研究成果や学術論文はオープンに公開されていたが、新しい発明や発見があっても、それが社会で実用化されるまでには長い年月がかかっていた。しかし現在、その速度は劇的に改善されつつある。

あるプロジェクトからオープンソースのリリース情報が出れば、すぐに資本側がそれを取り込もうとする。また逆に、ベンチャー企業がプラットフォームを発表すると、それを利用して新しい研究開発が行われる。資本主義とオープンソースとが接続され、両者の間で活発な交流が起きているのだ。現在は、そのオープンソースの価値はトークンによる資本化（通貨化）が始まっており、一部のトークンの価格を高騰させている。

ブロックチェーンの技術とトークンエコノミー[注140]の発達によって、オープンソースのための資金調達が容易になった世界では、従来の株式市場に依存する必要性が相対的に低くなる。独占を一つの方法論としてスケールするモデルのみが資金を調達するわけではないからだ。資本主義の本場であるアメリカでは、今でこそベンチャー企業やベンチャーキャピタルによる資本の再投下が繰り返されているが、19世紀には実業家が大学を作り、その大学から実業家が生まれるというサイクルが回っていた。それと同様に今後は、地方自治体や大学や公益財団などの社会に対するソーシャルグッドを目指すようなオープンソースコミュニティと資本主義の間にある境界は、資金調達やその維持という観点も含めて、ゆるやかに溶けていくことになるだろう。

全体最適化による自然。個別最適な全体主義

そして最後に重要な指摘をすると、非中央集権的なシステムの介在によってオープンソースにより強く規定されるようになった市場は、その本質として全体主義的に動くということだ。その理由を考えてみよう。

歴史的に見れば、全体主義は資本主義とは相反する関係にある思想だ。現在のインターネットプロトコルは、上層に「アイディアのオープンソース（技術革新のための仕様策定）」、下層に「インフラのオープンソース（オープンソースソフトウェア）」があり、インターネット企業に対する金融投資および市場経済における資本主義的側面はその中間位置で機能している。この意味では、現行の資本主義のピラミッド構造

注140　仮想通貨によって形成される経済圏のこと。ブロックチェーンやネットワーク技術によって仮想通貨の発行が自由に行えるようになったことから、さまざまな貨幣（トークン）による新しい市場の登場が期待されている。

のトップとボトムは、オープンソースに挟まれている。このオープンソースと、資本主義の求める市場の寡占のためのアイディアの独占と秘匿の関係性は、本来は互いにアンチテーゼである。しかしここでは、相反するはずのその両者が、一つのシステムにつなぎ込まれることによって全体主義的な傾向を帯びながらドライブするという、不思議な構造が生まれ始めている。

通貨の交換を成り立たせる非物質的価値を基軸にしたオープンソース同士の信頼関係にもとづくエコシステムを維持するため、こういったソフトウェアトークンは、その取引や流通の面で、トークン経済の中で全体最適を目指す傾向がある。多様なソフトウェアトークンは、取引所での相互の交換比率をあたかも自然法則のように決定しうるし、市場の流動性に任せた結果、砂を入れたペットボトルを振れば比重が大きい順に沈むように、価値が決定され、序列が決まり、それにより、デジタルエコシステムの側は破綻なく機能するように最適化される。これは、森や河川の生態系に見られるような、リソースと生物種の量に依存した互いの関係性によるエコシステムに近い。これはまさに市場に見られる〈デジタルの自然〉である。例えば、ビットコインの価格下落は、イーサリアムやほかのトークンの価値下落を同様に起こしうる。全体が一つの信用の下に動いているからだ。人口拡大から減少への移行期の日本においては、こういった中央と分散の両端化は不可欠だろう。

物質的な存在に規定される人間が、デジタルデータの信用に基づくエコシステムを信じることによって成り立つ価値は、物質的な価値に紐づかないデジタルデータによりつながっており、これらのインフラを成り立たせる諸条件、つまり〈計数的な自然〉となりうるインフラであるインターネット上のデジタルネイチャー、デジタルエコシステムは物理的な人間存在へ対応するという意味で、デジタルエコシステムを全体最適化しているように見える。デジタル価値と物質価値の調停である。これがオープンソースによって規定される資本主義は、全体主義的になっていくということである。

ただし、ここでいう全体主義は、20世紀前半の全体主義とは明確に区別されるべきものである。前世紀の全体主義が「人間知能と民主主義に由来する全体主義」だとすれば、これは「人間知能と機械知能の全体最適化による全体主義」および「〈デジタルの自然〉を維持するための環境対策」といえるだろう。

これまでの民主主義による意思決定で焦点となっていたのは人間の数だ。現在の民主主義下では一つのイデオロギーのもと多数決で意思決定が行われるが、そこでは必然的にマジョリティとマイノリティの区分が生まれ、マイノリティは大多数を占めるマジョリティの意見に従わなければならない。しかし、全体最適化および個別最適化の融合といった価値観を意思決定の根拠とする場合は、賛同する人間の数は問題にならない。あくまで生態系として捉えた社会全体にとって都合が良い選択肢が、個々の問題や一人一人に対して、別々に選び出されるわけだ。すべての個人は個別の最適解を持ちうる以上、標準化はあまり意味を持たず、最適解は時系列と環境によって異なる。

いずれあらゆる価値は、分散型の信頼システムとトークンエコノミーの価値交換手法によって技術に対しての投機マネーと接続され、オープンソースと資本主義市場の対立は、より密な経済的連携によって安定した構造へと軟着陸するだろう。それは新しい全体主義の形であり、そこでは西洋的なピラミッド構造ではない、東洋的再帰構造からなる「回転系自然なエコシステム」が形成されるはずだ。

「脱倫理性」がもたらす可能性

マックス・ウェーバーが指摘したように、プロテスタンティズムの根底には、「勤労は善行である」という宗教の教義に裏打ちされた精神性がある。勤労によって得られた利益を元手に、さらなる勤労に励むことを良しとする。この宗教的情熱に支えられた資本の再投下の繰り返しによって、近代資本主義は形成されてきた。その資本主義の精神から生まれたインターネットは、「オープンソース」という情報の共有と協業による新しい倫理を確立した。そして、「ビットコインのような非中央集権型デジタル通貨」は、非中央集権的なネットワークによる価値の保存とそれに対する万人の保全性と参画性を持つセキュアシステムをもたらした。

オープンソースの倫理は、社会制度に最適化する形で人間の行動を規定してきたが、そのことにより、一元的なイデオロギーが支配する社会から見た「脱倫理性」という新しい構造を生み出しつつある。個別の価値観が多様なのにもかかわらず一つのイデオロギーが成立する状況では、社会全体の持つ多様さは脱倫理的に見えるからだ。最後に、再魔術化する社会で進行する脱倫理性について触れておこう。

私たちの社会においては、「他人の悪口を言ってはならない」ということが、習慣として倫理化されている。仮に言ったとしても証拠は残らないが、それでも「言ってはならない」という強制力は、我々の内面において働いている。

しかし、インターネットがもたらす万人の監視としての倫理観は、より厳密で、強固で、強制的だ。例えば我々が普段、日常生活の中で口にしうる暴言が、そのままTwitterなどに投稿されたら、あっという間に社会的な圧力に晒され、「#Me Too運動」のように拡大し、場合によっては法的な処罰を受けることすらありえるだろう。

これは、社会や文化の問題というよりは、コンピュータやインターネットが構造的に備えている傾向といえる。コンピュータは人間の行動を稠密に記録するように設計されているし、インターネットもデータの保持性に関しては極めて強力で、ログインやコメントの痕跡は、どこかのサーバーに必ず残る。ブロックチェーンによる信用は非常に強力だ。その保存性はどこまでも残る上、中央集権からの撤退を強いられている日本では大きな意味を持つ。

そうした環境下では、人間は否応なしにポリティカルコレクトネス的な意味で倫理的に振る舞うことを強いられる。これをディストピア的に捉える向きは少なくない。実際、人々の倫理性や公正さを求める動きは強くなる一方であり、WikiLeaks[注141]などはその一例だろう。

インターネット上のやり取りはやがてすべてがパブリックなものとして扱われ、厳密な倫理性が求められるようになる。「現実世界の倫理」と「インターネットの倫理」、この二つの間で葛藤し、ポリティカル・コレクトネスを保つことに疲れた人類は、インターネットに倫理の抜け道を求め始めている。それは、プライベートで情報を自由に発信するような方法論である。

その一例がSnapchatのようなサービスだろう。共有した写真が一定時間で消滅するこのSNSは、ユーザーが長期的に残したくない写真を共有できるという点で、他のSNSにはない非倫理性を許容している。その気になれば、TwitterやFacebookでは炎上するような犯罪まがいの写真も共有可能だ。サーバー上に情報は残るため、本当の意味で写真が消滅してはいないのだが、末端のユーザー、つまりEnd to Endでは写真が消えたように見える。倫理に反する写真でも、一瞬だけ相手に見せてあとは消えたことにできるのだ。

世界の再魔術化が進み、End to Endの中間過程に不可視の領域が拡大すると、その領域に「プライベート」、つまり非倫理的な問題が押し込められるようになる。

注141　匿名の内部告発による情報公開のためのウェブサイト。2007年の公開以来、国家や企業の機密情報が次々と暴露されている。オーストラリアのジャーナリスト、ジュリアン・アサンジが設立した。

資本主義の持つ非倫理性の命題として「フォアグラを食べる行為に倫理的問題は存在しないが、フォアグラが食材として作られる過程は非倫理的である」というものがあるが、これと同様に、全体としては倫理を逸脱していないが、End to End の過程において倫理を逸脱するといった、多種多様なケースが現れるだろう。

この問題については、既存の言語的なロジックでの解決ではなく、全体最適化を考えたときに何が問題なのかという個別の具体例、そして、解決の具体的な事例、つまり現象ベースでの解決を図るべきだ。そして、これまで人間的な問題とされてきた倫理性が、人間的な領域を離れた不可知的な部分で処理されるようになることで、これまで解決不能だった問題が解決できる新しい可能性が現れる。

そもそも、私たちの社会で一般化している〈倫理〉の概念は、ルソーに由来するが、これは近代以降、〈人権〉と共に生じた欺瞞の一つである。近代の人権思想の発祥はフランス人権宣言だが、これはあくまで当時の「人間によって駆動される人間社会」を前提としたときの、現実的な落としどころであり、あくまで「人間用」の概念だ。

人類は生まれながらに平等であり、不平等は是正されなければならず、「男女に」平等な権利が与えられるべきである。これらの倫理は、確かに聞こえはいいが、AI

による最適化が可能になった世界では、必ずしも最適解ではない。一人一人の人間を均等に分割するような平等観は、全体最適化がリソース的に不可能であった時代の「最良の努力」であったというだけだ。

近代の人間的倫理を上回る全体最適解をコンピュータが弾き出せるようになった現代における、真の平等とは、全人類がその最適化される領域に属する権利がある、ということだ。言い換えれば、そのプロセスで用いられるリソースへのアクセス可能性の保証である。

プラットフォームを指向する「資本主義」とインフラを構築する「オープンソース」、この社会構造をベースとしたポリティカル・コレクトネスな「倫理性」と、その枠組みを逃れる「脱倫理性」。この四つの要素のせめぎ合いによって我々の世界は成り立っている。これらの対立要素のせめぎ合いは、やがてその内部で、オープンソースによるインフラの整備と、ブロックチェーンによるトークンエコノミーの発生により、資本の再投下を促し資本主義の駆動を最適化するような、自然化の原理、人にインストールするソフトウェアとしての〈新しい倫理〉を我々の社会にもたらすだろう。

コラム 日米戦後デジタルカルチャー史を比較する

アメリカのイノベーションとエコシステムの発展

ここでアメリカと日本のデジタルカルチャーの歴史について振り返っておこう。

アメリカのコンピュータの研究は、1940年代に始まった。当初の研究は大学や民間研究所を中心に進められていたが、第二次世界大戦後、IntelやOracleといった新興のテクノロジー企業がアメリカの西海岸、現在のシリコンバレー周辺に集まり始める。

1970年代になると、当時流行していたヒッピーカルチャーの影響のもと、シリコンバレー特有の思想が形成され、コードをシェアするオープンソース文化の萌芽が現れ始める。その中心となったのは、アメリカのマサチューセッツ工科大学（MIT）や、カリフォルニア大学バークレー校（UCB）だ。

当時のサンフランシスコはヒッピーカルチャーの聖地であり、学生の多くがその影響下にあった。そこで情報工学を学ぶハッカーたちの間で自然発生したのが、ソースコードを無償で共有するフリーソフト文化だ。この運動はリチャード・ストールマン[注142]やエリック・レイモンド[注143]らの精力的な活動によって、コピーライト思想に結実し、90年代までにGNUやBSDといった、著作権表示を保持しながら誰もが自由な改変や再配布を行える、オープンソースライセンスとして定着した。

一方、シリコンバレーでは資本主義によるハードウェアの更新が着々と進められていた。1972年、ゼロックスパロアルト研究所のアラン・ケイは、個人向けコンピュータによって誰もが情報発信者になる未来を予見した「DynaBook構想」[注144]を発表する。これに影響を受けたスティーブ・ジョブズとスティーブ・ウォズニアックが、1977年にパーソナルコンピュータの元祖である「Apple II」、1984年には「Macintosh」

を発売する。その過程で、コンピュータはギークの遊び道具から民生製品へと発展を遂げた。アメリカでは、70年代から80年代にかけて「コンピュータの民主化」が起きたのだ。もちろん、ビル・ゲイツのMicrosoftが広めた、WindowsやOfficeといったソフトウェア環境も忘れてはならない。

民生技術がもたらしたソフトウェアとユーザーエクスペリエンスに関するイノベーションは、1990年代に入ると最初のインターネットブームを導くことになる。

現在のインターネットの情報閲覧の基礎技術であるWWWは、1991年にCERN（欧州原子核研究機構）のティム・バーナーズ=リーによって開発された。

普及が始まったのはやはりアメリカだ。1994年にNetscape社からブラウザ「Netscape」[注145]がリリースされると、インターネットの本格的な商用展開が始まった。また、リーナス・トーバルズによって、オープンソースOSのLinuxの最初のバージョンがリリースされたのも1991年だ。1990年代から2000年代にかけては「ウェブとオープンソースの時代」だったと見ていいだろう。リーナス・トーバルズが開発したソースコードの共有ツール「GitHub」は今でもオープンソースイノベーションの素地を作り続けている。

ここで考えたいのは、シリコンバレーの成功が生み出した富や資本、あるいは人的・信頼的なリソースが、その後、どのようにしてコンピュータ業界に還元されていったかである。

アラン・ケイは研究者だが、大学ではなく、ゼロックス社のパロアルト研究所に所属していた。Netscape社も、シリコングラフィックス社を上場させたジェームズ・クラークが、その利益をもとに設立した。もちろん初期のAppleも、シリコンバレーの資本からの投資を受けている。

1970年代に起きたのは、コンピュータをハードウェア面から基礎付ける商業的成功だ。シリコンバレーで代表的なのはIntelなどの半導体企業だが、日本の東芝や日立、富士通といった企業もその恩恵を受けている。そこで得られた利益を、コンピュータの発展のために再分配する試みが70年代から80年代にかけて行われ、その中で、コンピュータのパーソナル（個人）化の潮流が生まれる。

90年代に入ると、パーソナルコンピュータで成功した企業から、ソフトウェアやインターネットに資本が再投下され、その成功によって巨万の富を得た企業は、今度は情報検索やeコマース、SNSといった新しい分野に資金をつぎ込んでいく。

新興企業の成功で得られた利益を、別の新興企業に再投下することで回転する資本のサイクル、それが70年代以降のシリコンバレーのコンピュータ・カルチャーを支えていた。そこでは、富が富を、未来が未来を生み出すエコシステムが成り立っていたのだ。

戦後日本の国民計画経済の成功と破綻

一方、同時期の日本の状況はどのようなものだろうか。

実は日本においてはこの30年間、主要なプレイヤーはずっと変わらないままだった。我々が同時期に取っていたのは、列島改造論や所得倍増計画に近しい官僚主導の計画経済に近い半導体ロードマップである。官僚が仕組みを作り、企業がそこで経済を回していくシステムだ。管理された資本主義経済のもと行われた計画的イノベーションである。日本には内閣と国会という民意の表明方法はあるが、間に挟まれた官僚機構によって個別の最適化は為されていない。

日本が国民国家下の資本主義体制になったのは明治維新以降だ。1860年代以降、西洋的な価値観の導入と社会改造を行いながら、富国強兵と脱亜入欧を掲げ、1890年代から1940年代にかけて、急速に資本主義経済が発達した。

第二次世界大戦の敗戦後は、硬直化していた社会システムの変革によって新しい産業が一気に興り、1960〜70年代には高度経済成長に突入する。

日本の市場経済においては、個々のプレイヤーが大きくなるのが特徴だ。例えばトヨタは紡績、機織から自動車、電子部品と、巨大化したグループを分割し、子会社を作ることでビジネスの領域を拡大してきた。アメリカのように次の時代を作る別会社に資本が再投下されるのではなく、プレイヤー自身が肥大化することによって経済活動が活発化していくのが、日本的資本主義原理だ。この分割統治から勢力拡大を志向する戦国時代のような形態は、人口増加ボーナスの恩恵は受けやすいが、人口が減少に転じると対応が難しくなる。

それに対して、70年代以降のシリコンバレーのような、小さな成功をスケールさせて成功に導くスタイルは、アメリカの資本主義におけるスタンダードだ。先ほどの例でいえば、１９８０年代にシリコングラフィックス社を創業したジェームズ・クラークは、90年代になると、その資金を元手にNetscape社をゼロから立ち上げ、再び成功を収めている。成功によって得られた利潤は、資本として次のステージに投入され新規プレイヤーを生み出す。この再投資をベースとした経済発展は、足りない労働力や資材は外部から調達し、エッジコンピューティングのように負荷を分散する。そのため、足並みを揃えるコストが高くなる代わりに、ソフトウェアイノベーションのような物質的実体を伴わないイノベーションの創造に向いている。

一方、日本ではプレイヤーが交代することなく、新たな需要に対して全てを自前で生産することによって会社を拡大していった。そこでは、時代を代表する企業を新たに作るよりも、既存企業を多角化し拡大する方針が取られた。それを支えたのが、戦後日本に現れた特殊な経済状況だ。これは品質保証に役立つ。

日本の高度経済成長は、マスメディアの民意誘導による「国民的計画経済」の面が大きい。所得倍増計画、列島改造論といった標語と手法は、銀行への貯蓄を美徳とする国民を増やして資金調達を容易にし、人々はマイホームを建てローンを返済することを幸福な人生設計として方向性を定め、所得を計画的に社会に還流することで「戦後中流」層を作った。

こうした価値観をマスメディアが煽り、マイホームローン・定期預金といった金融システムへの還流を「幸福」と定義することによって、日本は社会主義国家の計画経済さながらの、強い金融基盤とその上の市場経済を作ることができたと僕は考えている。

戦後日本の高度経済成長は、「国家」に守られた資本主義によって成立していた。資本主義―国家の密な関係を前提にした経済システムは、巨額の投資と安定した資本循環を生み出し、自動車や家電をはじめとするハードウェア企業の成長に大きく貢献した。

戦後日本の資本主義に陰りが差したのは90年代以降だ。それまでの労働者はテレビによって「幸福」を定義され、巨大な集金装置である住宅市場と銀行に資金を提供し続けたが、2000年代に入ると、出生率の減少とインターネットの普及によるテレビの影響力の低下により、消費スキームの停滞が始まる。その綻びは、預貯金や住宅の所有を「幸福」と取り違えていたことに人々が気付き始めたことで決定的となり、このの経済的循環システムに依存していた日本のハードウェア企業は、アメリカで進んでいた産業のソフトウェア化の潮流から大きく取り残された。

イノベーションが起きにくい日本的資本主義において、いかにベンチャーキャピタルやインキュベーションシステムを活かして、新興企業の成長の芽を育てていくか。その試みが始まったのは、ようやく2000年代後半に入ってからのことだ。中央と分散のバランスを用いた撤退戦の中での効率的成長はこれからの世代の課題であり、ITインフラを用いた限界費用ゼロのエコシステムはその切り札になりうるだろう。計算機自然のもたらす東洋的転回を共有する必要がある。

注142　アメリカのフリーソフトウェア活動家。1983年にUnixを完全に代替するフリーOSの開発を目的としたGNUプロジェクトを発表。自身もプログラマとしてEmacsやGCCなど重要なオープンソースソフトウェア開発を手がけている。

注143　アメリカのプログラマ・作家。1997年に発表したエッセイ『伽藍とバザール』は、オープンソース思想のマニュフェストとして各方面に影響を与えた。プログラマとしてもGNUなど多数のプロジェクトに参加している。

注144　アラン・ケイが1972年に論文の中で発表した理想のパーソナルコンピュータ。A4サイズで、片手で持てるほど軽量。文字、画像、動画の処理に対応し、子供でも扱える単純さを備える。今日のノートパソコンやタブレットの最初の原型であり、その理念は現在も参照され続けている。

注145　1994年にリリースされたウェブブラウザ。画像とテキストの併置に対応した最初のブラウ

ザであるNCSA Mosaicをベースに開発され、90年代後半にはマイクロソフトのInternet Explorerと熾烈なシェア争いを演じた。現在のMozilla Firefoxがその後継にあたる。

第4章

コンピューテーショナル・ダイバーシティ

デジタルネイチャー下の市民社会像、言語から現象へ

明治期に急速に近代化を進めた日本。そのゆがみは日本語の至るところに残っている。〈近代〉を規定する概念語の再定義が、計算機自然を考える上で不可欠だ。そうすることで、標準化に囚われない、真に多様性のある社会が見えてくる。この章では、デジタルネイチャー化によって我々の物質的な身体性とソフトウェアである倫理観がどのように変化し、ひいては「民主主義」の未来がどのようになるかについて一考察を与えてみよう。

明治期以来の和訳の困難

現在、我々の使っている日本語の多くは、実はそれほど古い歴史を持っていない。日本の近代が成立したのは明治維新以降だが、そのとき西洋から伝来した概念の多くが、明治以降に発明された単語を用いて翻訳されている。「文化」「科学」「意識」「思想」「観念」「社会」などは、昔からあった漢語の意味を変えたり、漢字を新しく組み合わせて作られた言葉だ。思考の根底をなす言語が急ごしらえで作られたため不安定である。西洋から伝来したこれらの概念は、西洋近代化の約200年に及ぶ歴史の中で醸成されている。しかしその翻訳語は、明治期の約30年の間に作られた。そのため、抽象的思考の道具とするには、数多くの欠陥を抱えているのだ。

例えば「社会」という言葉がそうだ。この言葉は近代天皇制と強く結びついているため、第二次世界大戦の終結した1945年以降の社会体制の中では含意が機能しなくなっている。ヨーロッパを手本に社会を設計し、戦後アメリカの手ほどきを受けながら社会を再構築したいびつさによるところも大きい。ヨーロッパをモデルに設置した大学に自由経済主義を導入しようとして問題が発生している現状など、教育、法律、行政といった社会システムの多くの場所で機能不全が起きている。[注146][注147]

注146 日本の大学制度の始まりは、1872年に明治政府より発布された「学制」に遡る。イギリス、フランス、ドイツの大学を参考に法整備が進められ、77年には法学、理学、文学、医学の4学科からなる帝国大学が設立された。

注147 近年、大学のあり方を従来より変えるべく、さまざまな改革が進められている。2004年に国立大学法人制度が導入され、多くの国立大学が独立行政法人化。14年に可決された「学校教育法及び国立大学法人法の一部を改正する法律案」では、民間の経営手法を導入し、グローバル人材、イノベーション人材の育成を目的とする方針が取り入れられた。

「Society」という概念が明治期に持ち込まれたとき、該当する概念が日本語にないため、さまざまな訳語が当てられた。例えば福沢諭吉は「ソサエチー」とカタカナで表記した後で「仲間連中」と訳している。[参考24]最終的には「社会」で一般化されるが、この言葉には「社」(やしろ)を中心とした「会」合、つまり土着の神々の集まりや、地方の社を中心とした集会という意味が込められているように見える。この比喩は、天皇中心の国家体制の中では理解しやすい言葉だが、戦後、天皇中心の体系が社会から失われたことで、「社会」という言葉が本来的に持つ意味は失われた。

宗教的な含意のある単語が当てられたのにも意味がある。西洋のキリスト教以降の近代文明は単一の「神」の存在を前提としているが、日本にそのような信仰形態はなかった。そこで「神」概念に代わり「天皇」を置くことによって、さまざまな西洋の概念の移植が行われた。このように明治という時代に最適化しながら翻訳された日本語が、戦後になって体制変化と技術変化に伴い機能不全を起こしているのである。

ほかにも「大衆」はもともと大乗仏教用語で、仏法によって正しく規律制御された人類のことを指す。[参考25]デジタルネイチャーの思想として英語で言い換えれば「コンピューテーショナリー・コントロールド・ヒューマン」、脳に仏法倫理が導入されて従順になった人間のことを、「世間一般」を指す言葉として使っているのだ。

その意味で現代日本語の言語体系は、常に西洋的な「神」に該当する何かを求める。戦後の日本人は、西洋近代的な概念を日本社会に上手く接合できないことに違和感をいだきながら、「神」概念を、その時々の上部構造——「アメリカ」や「金融資本主義」や「テクノロジー」に置き換えることでやり過ごしてきた。戦後社会の中で、日本語を再び現実に着地させるには、宗教倫理を前提としない言語を再発明するか、あるいは新たな宗教の代替物のもとに言語を作り変えていくしかなかったのではないか。

現代では、海外から新しい概念が入ってくると、カタカナ語としてそのまま利用するケースが増えている。例えば「End to End」は、日本語には正確に訳せない。「現場 to 現場」や「終端 to 終端」や「目的 to 目的」、そういったニュアンスをすべて含んだ言葉が「End to End」だ。この言葉を漢字熟語で正確に表現すると先に述べた華厳経における「事事無碍」になる。

同様に、「タスクドリブン」[注148]や「アプリケーションドリブン」[注149]も翻訳不可能である。

注148 目標の達成に必要な全過程を洗い出した上で、最小単位の作業内容(タスク)を抽出してリストアップし、その一覧を起点にすることでプロジェクト全体を駆動する手法。

注149 あるプロジェクトにおいて、最終的な成果物や、実際に利用される事案、具体的な応用例を想定した上で、その想定から逆算してプロジェクト全体を駆動する手法。

アプリケーションは「適用」や「応用」という意味だが、「アプリケーションドリブン」を「応用例重視」と訳すとまったくニュアンスが変わってしまう。「鶏が先か、卵が先か」の問題において鶏の方から作る、という意味だが、それを「応用例と原理」と言い直すと、今度は原理の方が本質的に捉えられ、本来の意味から外れてしまう。横文字が次々と増えていくのは、海外から持ち込まれた新しい言葉を、正確に意味する日本語が存在しないことが一因となっているだろう。

リアル／バーチャルからマテリアル／バーチャルへ

近年になって一般化した技術用語の中にも、未知の概念を無理やり既存の日本語に当てはめたことで、本来の意味から逸脱しているものがある。

その典型が「リアル／バーチャル」という言葉だ。この対立項は、翻訳の過程で複雑な捻れを起こしている。「バーチャル」は「仮想」と訳され、コンピュータ内部でのみ発生し、現実には起きていない出来事を指すとされている。[参考26] しかし「Virtual」の正しい和訳は「実質」である。そのため「リアル／バーチャル」は「現実／実質」ということになるが、これでは意味が分からない。

また、「現実」という言葉も「リアル」とは微妙に違っている。私たちは「実際に起きていること」という意味で使っているが、漢語「現」には"to appear""to become"といったニュアンスがある。「実」が「現」している。つまり現実とは主観的な認識であり、事実や実体とは限らないという含意があるのだ。

このように、正確にはリアルとバーチャルの関係は対義語ではない。リアルの対義語とされているのは「Nominal（名目上の）」である。「リアル／バーチャル」の対比が有効なのは、光学（Optics）の分野だ。小学校の理科の授業で実像と虚像の簡単な実験を行うが、「実と虚」に対して「リアル／バーチャル」という訳語で区別するのは、光やディスプレイを扱う人にとっては、分かりやすい対比だろう。

しかし、「リアル／バーチャル」を「実／虚」として理解すると、バーチャルの解像度がリアルを超えたときに両者の関係が混乱する。人間の視聴覚の閾値《いきち》を超越した「リアル以上のバーチャル」は現在でも存在するからだ。

そこで、コンピュータを基軸にして、「物質的（Material）／実質的（Virtual）」という対義語に定義し直すべきだと僕は考えている。「物質」も「実質」もどちらも同じ現実であり、物事の本質を指している。解像感が同一ならば両者の違いは、コンピュータによる体感の実装の有無に過ぎないということだ。

「実質」と「物質」のどちらに価値を置くかは、人間の判断基準よって変わってくる。それぞれのメリットを考えてみよう。

「実質」が優れている点は、コストが低いことだ。複製も容易で、複数の人間で同じ体験を共有できる。それに対して「物質」の最大の長所は解像度の高さだ。そして、実質／物質に共通して内在しているのが情報で、これを第三の実相「本質」であると考えることもできる。

今後は、物質・実質・本質の三者間におけるトレードオフの議論が、さまざまなところで表出するだろう。これまではメディアによるバーチャル（実質的）な体験、あるいは身体によるマテリアル（物質的）な体験の両極しかなかったが、今後は実質性・物質性の度合いを段階的に選択できるようになる。

例えば、VRゴーグルに恋人を映しながら別人を抱きしめれば、恋人の顔を見ながら血の通った身体に触れられる。これは触覚の対象が別人である分、現実よりもバーチャル寄りの体験だ。もし抱きつく相手がロボットであれば、さらに物質的な解像度は下がり、よりバーチャル性の強い体験となる。

もっと身近な例でいえば、バーチャルな飲み会はすぐに実現可能だ。アルコールは物質的に飲んで、それ以外の雑談などはビデオ会議システムやVRゴーグルで実質的に体験する、これなら酩酊による事故も起きにくいし飲酒運転で捕まることもない。

こうした実質と物質の複合的な「オルタナティヴ」（選択肢）が、今後は増加するだろう。物質と実質の中間に、コンピュータによる生態系が作られ、そこに多種多様な亜種が出現する。この亜種は実質―物質の間を結び付ける本質、情報のビークルとしての物質と実質によって成り立っているのだ。

〈人間―機械〉の中間領域にあるオルタナティヴ

人間―機械の横軸に加えて、物質―実質を縦軸に取った四象限のマトリクスで考えてみよう［図3］。
左上の人間―物質のエリアには、物質的な身体を持った人間が入る。
右上の機械―物質に入るのは実体を持ったロボットやアンドロイドである。
右下の機械―実質には、物質的実体を持たないAIが入る。
左下の人間―実質は、バーチャル化された人間である。遠隔地の人とリアルに対話できるテレプレゼンス技術や、あるいは「死者」についても、その人の本質、情報体が残されていれば、ここに含まれるかもしれない。

重要なのは、今後、この四象限のあらゆる場所に、可能性としての亜種、つまりオルタナティヴが無数に生まれるということだ。先ほど、物質―実質の中間に、多数のオルタナティヴが生まれるとしたが、同じことが人間―機械の横軸にも言える。〈人間〉―〈機械に制御された人〉―〈サイボーグ〉―〈人に制御された機械〉―〈機械〉といったふうに、人間と機械の中間のあらゆる段階に、複数のオルタナティヴが生起してくるだろう。VチューバーやBot化など枚挙にいとまがない。

例えば、機械と人間の関係といえば、まず真っ先に、人間が操作するロボットを想像する人は多いだろう。しかし、それは自動車や家電を中心とした工業化社会の発想だ。また、ロボットの造形がヒト型に縛られるのは標準化された人類の象徴である。現在は各人が違ったコ

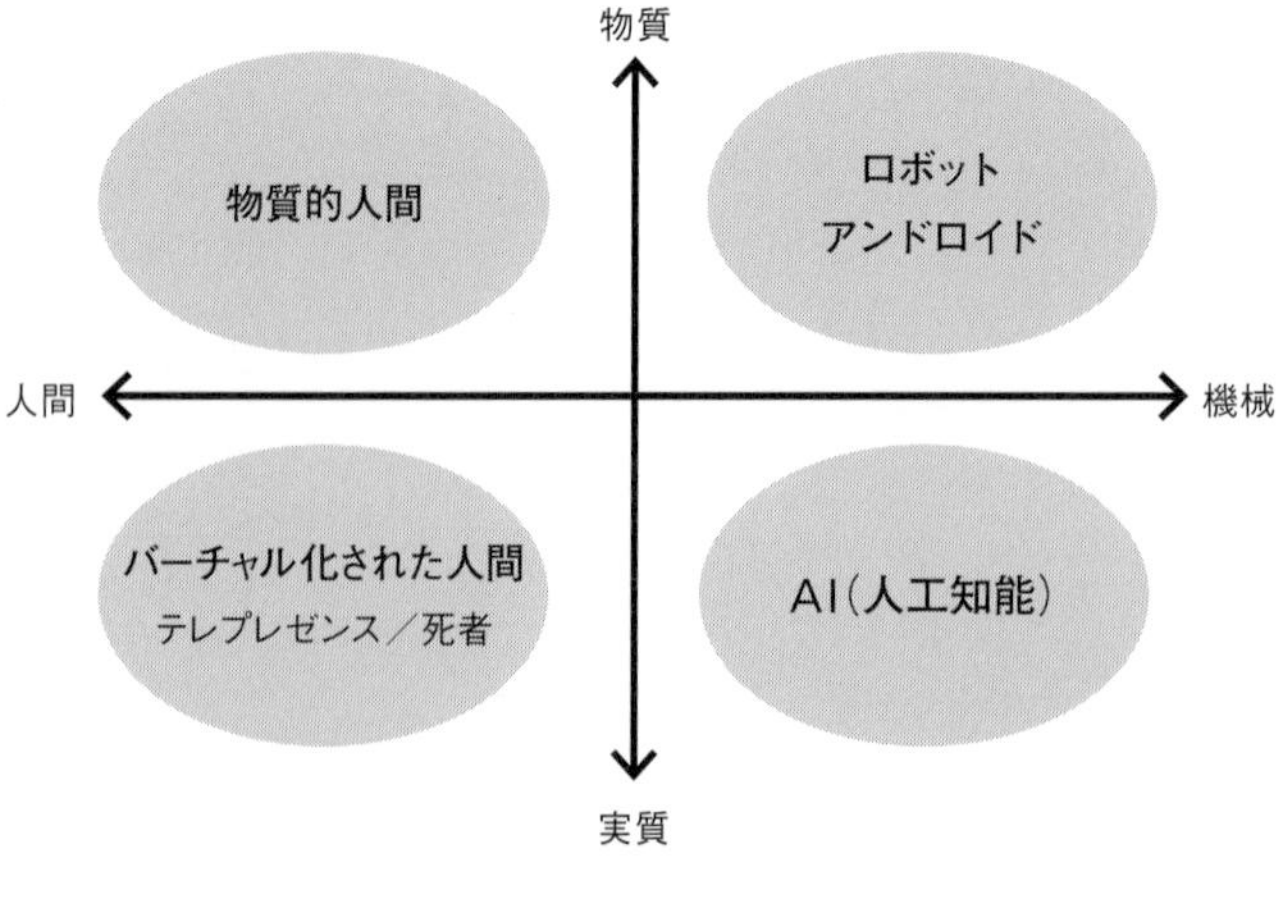

図3―物質、データ、人、機械の四象限

ミュニティの中で、それぞれまったく異なる嗜好性のもとに生きている。機械に乗る人、機械に制御される人、人間に制御された機械に乗る人、というように、人間と機械の関係は細分化され、各人に合わせた形態になるはずだ。現在でも半導体工業では、オートメーション化された機械の作業を人間が監視しているし、逆にタクシー業界ではドライバーの差配が機械によって制御されるなど、人間と機械の関係の多様化、生態系の形成は進んでいる。

これまでの製品は、工業化による画一性が前提にあるため、オルタナティヴが乱立する状況は好ましくなかった。しかし、限界費用の低下と分散型システムによって人々の通念が分化すると、物質―実質や人間―機械といったベクトルの中間地点から、価値観の数に比例して、多数のオルタナティヴが生成されるようになる。

あるいは、この世界を構成している要素として「人」「機械」「物質」そして「場」という四つの要素を想定してみよう。「機械」にはコンピュータに集積されたデータやアルゴリズムが含まれる。「場」はVRイメージをはじめ、光や磁場、音場、電場などが形成するフィールドだ。これらはインターネットに接続されることで、相互的な通信関係にある。第2章で紹介したノーバート・ウィーナーは、通信と制御による関係性の理論を打ち立てたが、現在におけるサイバネティクスは、この四要素の関係性を統一的に把握するための理論として捉え直すことができるだろう。そして、この四つの要素の機械的分析による探求が、多様性や選択性、つまりオルタナティヴを生み出していくだろう。

オルタナティヴはプラットフォーム圏域を突破する

前著『魔法の世紀』では、アメリカの社会批評家モリス・バーマンの「高度化したテクノロジーが世界を再魔術化する」という指摘を紹介したが、ここでいう「魔術化」は「プラットフォーム化」（市場を寡占した共通システムの内部に無頓着のままその共通言語と化したシステムを利用可能であること。メカニズムについて理解した個人がそのシステムを変更できる自由を保持していないにもかかわらず、環境としてその仕組みを受け入れている状態。プラットフォームの条件の一つが魔術化ということもできるはずだ）と言い換えることもできる。

Twitter や Facebook、Google、App Store（iPhone）などは、世界中のユーザーにインフラとして受容されているサービス、いわゆるプラットフォームだが、その内部の仕組みは外部からは不可視であり、ユーザーには結果だけがもたらされる。プラットフォームには新しい機能を内部に取り込もうとする力が常に働いている。その外側に、いかに新しいイシュー（問題意識）を置くか。「問題」と「解」を同時に設定することで、プラットフォームの圏域から脱出し、その外部に打ち立てられる、新たなプラットフォームの母体となる可能性としての選択肢を模索できる。『魔法の世紀』では「猛烈な多様性」と表現されていた力のベクトルが、ここでいうオルタナティヴだ。

プラットフォームの外部に新しい概念が打ち立てられると、その中間地点には多数のオルタナティヴが生成される。その中のいずれかが新しいプラットフォームに成長し、再び新しい方向性のオルタナティヴを生み出す。かつては遅々として行われていたこの営みが、ソフトウェアエコシステムの登場によって大幅に加速している。

例えば、Googleのメニューやアプリのユーアイデザインは絶えず刷新されているが、これは究極目標としての「理想のＵＩ」に辿り着くための改良ではない。ハードウェアの世界で行われているのは、理想的な物理的効率化、高解像度化へ向けての最適化だが、ソフトウェアの世界で行われているのは、多様な選択肢の、そして多様な価値観のどの部分にオルタナティヴを設定するかという試みである。

例えば、Twitterの文字制限が１４０字だったのは、最適化の結果ではない。これは人間のコミュニケーションの潜在的な多様性、無数のオルタナティヴの中から選ばれた、一つの結果に過ぎない。絶え間なく新しいものが現れ、古いものが捨てられ続ける循環に、我々は慣れつつある。社会のソフトウェア化により、新機能のリリースと画一化のサイクルは猛烈な速度で進行し、絶えず新しいオルタナティヴを許容しながら、次のプラットフォームの下地が作られ続けている。現在のオルタナティヴは、新しいプラットフォームが生成される可能性としての存在、未来への足がかりの一つである。その最終的な良し悪しを決定する要因は、「コミュニティ」による判断、つまりインターネットの集合知と、もう一つは、身も蓋もない話だが金融、社会、信頼などの「資本」だ。これらの「資本」を根拠づける上部構造が次なるオルタナティヴを指し示し、人々がそこに向かい始める。あるいは既にあるコミュニティに留まり、その動きを抑圧する。この二つの動きのせめぎ合いによって、技術的オルタナティヴの動向は決定される。

しかし、こうした技術的オルタナティヴによって生み出された流れに資本が逆らった場合、ほとんどが後者の敗北に終わっている。かつての違法ダウンロード規制がなかなか効果を上げなかったのがその一例だろう。「禁止」は最もストレートなオルタナティヴであり、未来の可能性の抑止だが、これは必ずしも上手く機能しない。そういう意味で、現在、オルタナティヴを選び取る上で最も優位にあるパワーは、インターネットの集合知、つまりコミュニティの力と言えるだろう。

コンピューテーショナル・ダイバーシティ

「コンピューテーショナル・ダイバーシティ」とは、コンピュータによってはぐくまれた多様性、計算機による人的なリソースの強化や代替が育む多様性だ。機械―人間の中間地点を取るオルタナティヴは、人間の機能の機械による補完や代替を可能にする。近代の標準的な人間観によって統一された世界から、パラメーター化を前提とした多様な価値基準を容認しうる世界への転換が進むだろう。

これまでは、法律にしろ経営にしろ政治にしろ、すべて人間がその限定的な処理能力の内側で学習して判断しなければならなかった。そのためには直感的なわかりやすさや、人々への教育コストの低さが重視される。つまり「人間の頭脳で処理できるか否か」という基準によって社会システムは作られていたのだ。

これは「人間の標準」を定める思想だ。五体満足で生まれてくる人間が最も多いという理由でそれを「標準的な人間」と定義し、それ以外を区分けして保護したり弾いたりする発想だ。人間中心主義の社会を効率よく機能させるために必要とされた思想であるが、しかし、コンピュータ中心の包摂可能な社会では、技術的解決速度の遅い時代の基準に合わせる必要はどこにもない。

例えば標準化の時代の「美」の基準は、極めて保守的に制定されていたが、オルタナティヴを希求する時代には、その固定観念も崩れる。近い将来、パリコレを太ったモデルが歩くようになるかもしれない。何が美しいかの判断はフェティシズムの問題でしかなく、痩せているか太っているかは、さほど問題ではなくなる。

その最も極端な例が「公民権運動」だ。かつてアメリカでは、人間の肌の色で人権が制限された時代があった。「標準的な国民」は白人であると定義されていたのだ。21世紀の今、そんなことを言っているまっとうな政治家はいないはずだ。肌の色はパラメーターとされ、黒でも白でも黄色でも何でもありだ。地域によっては実質的な差別は未だに残っているかもしれないが、いずれは完全になくなることを願っている。

今後、標準的な人間観に準拠した価値は全体から見れば後退する。視力が低いのならセンサーやディスプレイを埋め込めばいいし、腕の欠損には高機能義手を付ければいいのだ。テクノロジーが人間の欠損を補完しうる社会では、人間のあらゆる差異はパラメーターの問題に帰着するはずだ。

近代の「標準」は、ある種の美意識によって成立していた。両天秤に同じ重りを載せて釣り合う美しさ。平均中央に合わせた値に基づいて運営される社会。このルソー的近代に対置されるのが、パラメーター化した社会であり、二分法の均等な美意識ではなく、多様体の豊穣な美しさを発見する世界だ。

いまのところAIは人間一人分の機能を完全に代替するまでには至っていない。Googleは、ユーザーの利便性を追求することでこれを実現しようとしているが、かなり難しいだろう。しかし、人間のあらゆる差異をパラメーターとして捉える発想には、それを実現する可能性がある。

例えば、視覚が不自由な人がコンビニでおにぎりを買うときに、味を判定しづらいとしよう。そのときに、おにぎりの具の種類を読み取って音声で知らせてくれるアプリがあれば視力を補完可能だろう。最初は精度が低くミスがあるかもしれないが、試行回数は精度を補完する。視力のある人には不要かもしれないが、視覚が不自由な人には確実に需要がある。「不可能が可能になる」には強いニーズがあるのだ。それに対して「可能がより便利になる」場合はモチベーションが低い。こういったテクノロジーを開発することで、感覚器を一つずつ補完して、あらゆるダイバーシティを集積していくと、最終的に〈一人分の人間〉になる。腕、足、目、耳などの機能がすべて揃った人工的な人類身体基盤の完成だ。同様に、高齢者の衰えた身体機能を一つずつタスクドリブンで補完し、その解決を足し合わせるという方法もありうる。[参考27] 言い換えれば、人間と同じ機能のＡＩとロボティクスを作りたいなら、不足している人間の機能を代替しながら開発していくアプローチもある。これは日本のような高齢社会と相性がよい。

ダイバーシティにコミュニティや社会の意思決定を最適化する

ダイバーシティの考え方は、一見すると「平等な」民主主義とは拮抗する。無限の多様性を内包するダイバーシティは、民主主義的な観点からは「万人の万人に対する均一なアプローチ」ならぬ、「万人が万人に対する不均一なアプローチや、それによる不平等性」になりかねない。

民主主義の意思決定が最も迅速に、効率的に回る条件は、社会に対する人々の改善要求が少なく、ダイバーシティの低い環境、つまり、人々が同じような生活環境で暮らしている状態だ。例えば高度経済成長期の日本社会がこれに該当する。郊外の団地に住み、どの家も面積はほとんど等しく、家庭の所得はだいたい同じで、通っている学校も一緒。こういった同質的な環境では計画経済や迅速な民主主義が成り立つ。

しかし、社会のダイバーシティが進むほど、多様な人間の分だけ価値観も細分化し、全員に納得度の高い結論を出すことは困難になる。例えば、この社会で民主主義を実現するには、「全体」と「ローカル」を分けて考えた上で、民主主義が機能する規模を調整し、「全体からの距離」を多数決によって決定するという方法が考えられる。

民主主義は、構成員の人数が一定以上増えると問題解決には寄与しなくなる。その場合、AIの力を借りて、意思決定可能な人数にまで構成員を分割し、集団の再編を行う手法もありうる。おそらくは優秀な個人の影響力が波及しうる規模の、そして共同体の理性的なコミュニケーションによる意思統一が可能になる規模の人数になるだろう。

集団の再編後は、全体政策に対してどのような距離を取るかを、それぞれが多数決によって決定する。例えば、日本全体の消費税率が8パーセントに決まったら、大阪府は15パーセント、東京都は3パーセントというように、全体の基準値を、自治体がどの程度反映させるかを個別に決定するという方式だ。

あらかじめ定められた全体政策を前提に置いた上で、そこから取る距離をローカルが決定する。全体政策や基準値は間接民主制で国会議員たちが決め、それをどのように地域に反映させるかは、ローカルの直接民主制で決定する。全体を唯一の最適解にまとめるのではなく、どこをどう最適化させるか、その距離感を民主主義によって決定する。こういった中央と分散系に関する議論は盛んになるだろう。地方分権では、中央と地方が必ずしも意見が一致する必要はないし、条例によって二重に縛るやり方も必要ない。標準的な基準値の受け入れ方を検討し、適切な構成人数の枠組みの中で多数決を施行すればいいのだ。

これからの民主主義の課題は、ゲティスバーグの演説[注150]とフランス人権宣言をいかに超克するかだ。リンカーンによるゲティスバーグの演説に「ガバメント・オブ・ザ・ピープル、バイ・ザ・ピープル、フォー・ザ・ピープル」(人民の人民による人民のための政治)という有名な一節があるが、これを言い換えるなら「バイ・ザ・ピープルではないし、オブ・ザ・ピープルでもない。しかし、それでいてフォー・ザ・ピープルになるような政治」だ。

この「ピープル」という言葉が外れることで、コミュニケーションのスタイルが「言語」から「現象」に転換する。人類の理解可能な記号化を必ずしも伴う必要がないからだ。この転換には今まさに機械学習による統計的モデル化が開拓している領域であり、そこでは具象的な領域を具象的なままで対応しうるのだ。

そのときに足かせになるのは「人間」だ。これまでの思想的な問題点は、人間に帰属し、意味論による対立構造を常に作ってきた人間中心主義であることに尽きる。「人間が人間として人間から解放されること」を目指すから行き詰まるのである。人と人との間に区別をつける優生的思想への反省を糧に、「人間は人間としていないが、それでも人間が解放される」というテクノロジーと人間の調和した思想を、我々は目指すべきなのだ。

注150 アメリカ第16代大統領エイブラハム・リンカーンが、1863年ペンシルベニア州ゲティスバーグの国立戦没者墓地の奉献式で行った演説。「人民の、人民による、人民のための統治」という一節で知られる。

第5章

未来価値のアービトラージと二極分化する社会

デジタルネイチャーは境界を消失させる

人間の学習速度を超えたスピードで進む先端技術の進化、ソフトウェアプラットフォームによってグローバルに展開される苛烈な統治——世界は巨大な変化の只中にあり、従来の方法論では、眼前で展開される現実に触れることすらできないだろう。なぜ、世界はデジタルネイチャーへと向かうのか。ここではその自然化と思考的な革新の必然を論じる。

〈楽園〉の世界と〈奴隷〉の世界の二項対立を乗り越える

第1章では、AIの進出が進むことで、人々の生き方が、ベーシックインカム（BI）と、ベンチャーキャピタル（VC）に二極分化する未来像を提示した。社会は、機械の指示のもと働く人間と、機械を利用して統計的分布の外れ値を目指しイノベーションに携わる人間に分断される。それによって、人々はAI＋BI型の地域と、A

I＋VC型の地域に分かれて暮らすようになる。アメリカでは既にこの二極分化の兆候が現れていて、挑戦的な事業をやりたい人はシリコンバレーやニューヨークなどの投資が活発な地域でビジネスを展開することが多い。それ以外の多くの人々は、地方で牧畜や農業、工場労働といったスケールモデルのイノベーションとは異なった労働に従事している。

AIの発達によって、人類全体が労働から解放されるという楽観的な未来を予想する向きもあるが、おそらく現実にはそうはならないだろう。確かにGoogleやAppleはAIによって、最小限の労働で済む超高生産的な環境を実現するかもしれないが、それは彼らだけの既得権益だ。アラブの石油王の利権を部外者が享受することはないように、GoogleやAppleがAIによって得た利潤を、その外部にいる我々が受け取ることはないだろう。

現在、GoogleやAppleは、App StoreやGoogle Playといったプラットフォームを通じて、莫大な収益を上げている。我々が購入するアプリやコンテンツの売り上げの約3割が、手数料・ホスティング料としてGoogle・Appleに自動徴収されているからである。[注151] 国家に税金を払いながら、さらにAppleやGoogleにも手数料を収奪されるという、二重の搾取構造の中にいる我々は、ある意味、新しい植民地支配のもとにあると言えるかもしれない。この格差は今後ますます拡大し、世界を、労働から解放された〈楽園〉側と、プラットフォームに徴税される〈奴隷〉側に二極分化するだろう。

第三のてこの原理「アービトラージ」

ＡＩ＋ＢＩ型社会とＡＩ＋ＶＣ型社会の違いは、資本の時間的方向に対する操作を考えることができるかどうかである。これは簡単に言えば、「てこの原理」[注152]の資本についての拡張・応用例として説明することができる。

人類は歴史の中で、現在に至るまでに三種類の「てこの原理」を発明した。これらの力学を資本と時間の関係で考えてみよう。

一つめは「空間的てこの原理」、一般的によく知られる「力学的なてこ」である。移動距離×力で得られる仕事量をモーメントに接続することで、短い移動距離で高出力を生み出しモノを動かす。これは紀元前に発見された人類史上の画期となる原理だ。

二つめは「時間的てこの原理」である。労働力を仕事量×時間によって定義し、それを貨幣や資本に置き換えることで時間を金銭で売買する、マルクスとエンゲルスによって理論化された原理だ。つまり、「空間的てこ」は価値の外在化によって時間方向に拡張できるのだ。これは産業革命によって時間あたりの労働力が商品化されたことで、初めて明らかになった。

そして人類が発見した第三の「てこの原理」が「時間方向のアービトラージ」（裁定取引[注153]）だ［図4］。T1〜T

注151　Apple StoreとGoogle Playでは、販売しているアプリやコンテンツの売り上げの30％が、手数料として自動的に徴収される（２０１８年6月現在）。ただし、月額制アプリの場合は一定期間以降に15％へと引き下げられる（Apple Storeは2年以降、Google Playは12ヶ月以降）。

注152　棒や板を介して小さな力を大きな力に変換する原理。ここでは、物理的現象に限らず、支点・力点・作用点の関係性によって効果を生み出す概念的な仕組み（たとえば光てこなど）を、てこの原理の比喩を使って説明している。

注153　アービトラージ（裁定取引）とは、価格変動の傾向が相反する二つの商品を同時に売買し、その差分から利ざやを得る手法。それを時間方向に拡張すれば、現時点の負債と未来の利益を同時に売買して差分を得る手法となる。

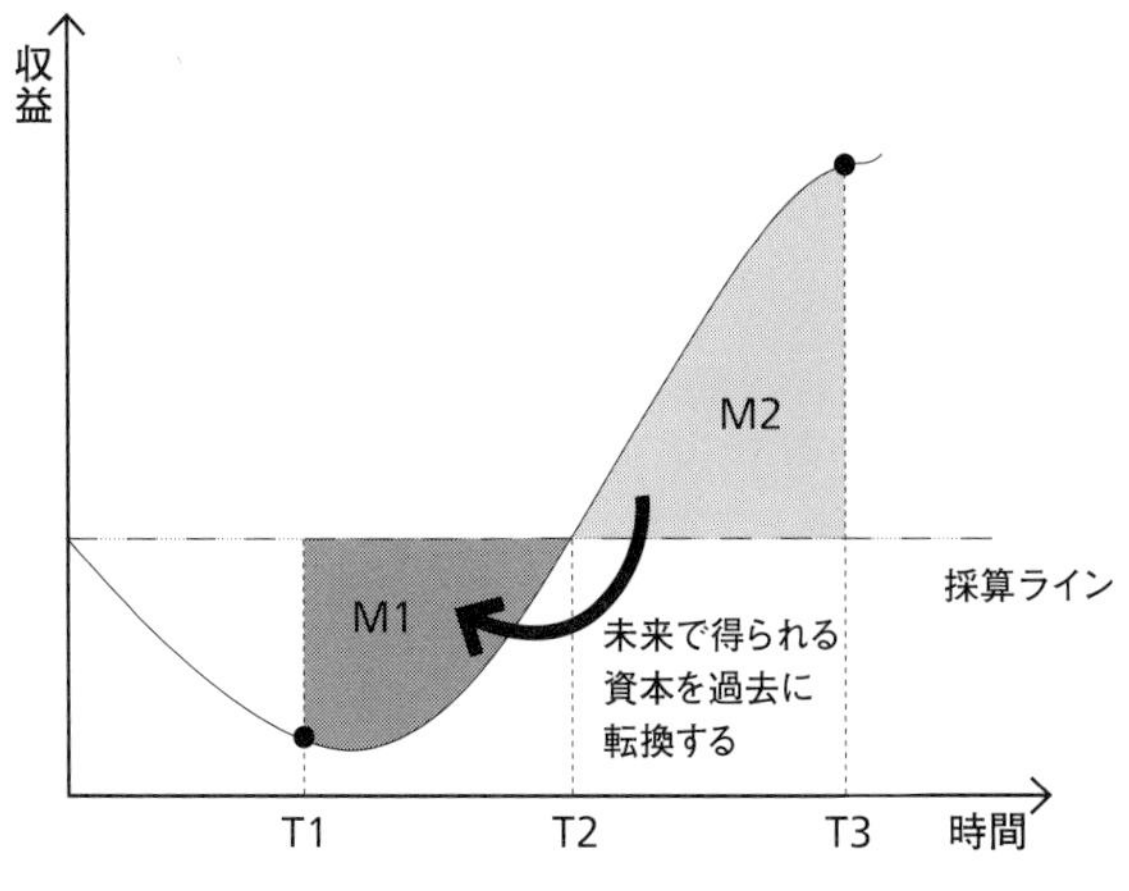

図4―投資の概念図

２の期間でＭ１を生産したときに、現時点では採算ラインを超えなかったとしても、Ｔ２〜Ｔ３の期間でＭ２を生み出せることが確からしいことが分かれば、未来側にあるＭ２−Ｍ１の差分の資本を現在の価値に転換できるという考え方である。元手はゼロでも、時間軸上にてこが一本引ければ、Ｍ２−Ｍ１の価値を引き寄せられる。未来の資本を現在に注入することで価値を増大させるベンチャーキャピタルのビジネスモデルだ。それによって我々のスケールモデルは機能している。

もちろん、このてこは正しく働かない場合もある。てこが上向きに反っていれば、いくら押しても効果はわずかだし、逆に、下向きに反っていればすぐに成果を得られる素晴らしいサービスになるだろう。

この時間軸を横断するてこの確かさを見抜くことが起業家と投資家の資質であり、その未来予想能力を補うには、プロトタイピング（試作）が最も有効だ。アラン・ケイは「未来を予測する最も確実な方法は、それを発明することだ」と言っているが、[注154]まさにその言葉の通り、ある存在の未来における価値を予測する最も確実な方法は、それ自体を作り出すことなのだ。

ＡＩ＋ＶＣ型の社会の最大の特徴は、この「第三のてこ」にある。つまり、時間方向に価値のてこを形成できるかという問題だ。

ＡＩ＋ＢＩ型では、自らの労働力を時間単位で切り売りする、つまり「第二のてこ」の世界で生きる人々で溢れている。しかし、ＡＩが全面化した社会の本質的な価値は、「不確かで外れ値の未来予測」、つまり第三のアービトラージ的な活用にある。ＡＩは統計量の外れ値を取ることができないので、そのリスクを代わりに担える人間は、これまで以上に大きな価値を持つことになるだろう。

「第三のてこ」は金融工学の分野でその威力を発揮しているが、一方で、私たちの身近なサービスの中にも入り込んでいる。"Deploy and Scale" という言葉で語られる資本主義スケールモデルの多くはこの形式に当てはまる。

例えば、新しい服を買って自宅のクローゼットにかけると、その服の価値は減る。しかし、買った服をメルカリ[注155]に商品としてポストした後でクローゼットにかければ、いつでも小売可能な状態のため価値の減少はゆるやかである。所有物であっても「未来の商品」として値札を付ければ、新たな価値が生まれ、資産として計上されるのだ。

注154　1971年、パロアルト研究所に所属していたアラン・ケイが、研究成果として未来予測のレポートの提出を強く求めるゼロックス社に対して、このように応じたとされる。

注155　株式会社メルカリが2013年より運営する、スマートフォン向けのフリーマーケットアプリ。個人の所有物を出品し、自由な値段設定でほかのユーザーと売買できる。一日の出品数は100万品を超える（16年時点）。

Uber や Airbnb も本質的には同様の仕組みである。「これまで商品と考えられていなかったものに値札を付け、交換可能にしていく」というイノベーションが、限界費用ゼロのソフトウェア整備とともにシェアリングエコノミーを生み出した。

この資産化の発想はあらゆる業種に応用がきく。例えば、ネット印刷のラクスル[注156]は、使われていない輪転機を借りることでコストを削減している。要するに、空いている輪転機に片っ端から値札を付けているのだ。さらにフクマルはハコベルという運送事業を始めたが、これも空いているトラックに値札を付けるビジネスモデルだ。いずれ、暇な人間に値札を付けて労働力としたり、使われていない教室に値札を付けてバーチャル大学にするといった発想で、あらゆる分野にシェアリングエコノミーの動きは広がっていくだろう。実際にスペースマーケット[注157]やタイムバンク[注158]など多くのサービスが生まれている。

高度に発達した資本主義経済の市場は、実質的にゼロサムゲームとなる。市場全体の富の総量は一定で、誰かが得た富は必ず誰かが失っているというルールだ。しかし「第三のてこ」によって、未来価値を現在に転換できれば、市場全体の富が拡大し、ゼロサムゲームではなくなる。そして富の源泉は未来に限らず、月を開拓したり、火星から資源を持ってきてもいい。要するに新しいフロンティアを見つけ、それを時間と資本の評価軸に乗せることが大事なのだ。

そして、「第三のてこ」は、銀行や投資機関のみならず、トークンエコノミーによって個人の富にまで対象を拡大し、より巨大な信用創造を可能にする。プラットフォームによって提供されているシェアリングエコノミーは、いずれブロックチェーン化されたシステムに移行し、その資本主義的なシステムはオープンソースによって運用されるようになるだろう。共同幻想[注159]による株式市場の発明は人類の富の拡張に大きな意味を持ったが、今、それはICOなど多くの調達方法を用いて多様化している。

注156 ラクスル株式会社が2009年より運営する印刷物のネット通販サービス。印刷機が稼働していない時間を利用した高品質で低価格な印刷サービスを提供し急成長した。同社はネット運送・配送サービス「ハコベル」も運営している。

注157 株式会社スペースマーケットが2014年より運営する施設の時間貸しサービス。対象となるのは会議室、スタジオ、レストランからお寺、学校と多種多様。中には球場や帆船、無人島といったユニークな物件もある。

注158 株式会社メタップスが2017年より運営する、専門家の時間を売買するサービス。技術者や経営者など希少なスキルを持つ人の時間を30分単位で購入し、用件を依頼できる。時間の価格は人気によって変動し、株式のように利ざやを狙って取引することも可能。

注159 思想家の吉本隆明が提唱した概念。〈国家〉や〈社会〉といった、公的な共同体と見なされるものは共同幻想と言える。吉本は共同幻想について、著書『共同幻想論』の中で自己幻想（個人の自己像）や対幻想（1対1の関係についての像）とは逆立するとした。

プラットフォームは市場でのスケールモデルこと、資本主義社会に最適化された生存戦略だが、ＩＣＯやブロックチェーンは計算機自然の分散系に最適化された生存戦略なのだ。

帝国に対抗する「ラボドリブン」の可能性

今後は、最低限の労働で収入を得られる社会、いわば選択の制限された〈楽園〉に暮らす層と、それ以外の貧困層に分かれていくだろう。前者では帝国的なプラットフォームが世界中からコミッションを徴収する仕組みによって、人々は働かずに豊かな生活を送ることができる。一方、それ以外の世界では、ＡＩやロボティクスの普及により人間に固有の仕事は大幅に減るが、そこに暮らす人々はシステムに取り込まれ生活することになる。木城ゆきとの『銃夢』というＳＦ漫画では、「ザレム」と「クズ鉄町」という二つの未来社会が描かれている。「ザレム」はカリフォルニア連合国のような様相を呈していて、「クズ鉄町」はそれ以外だ。この世界ではロボット技術が普及し、人間は働かなくても済むように統治されているが、それでも「持たざる者」は仕事をせざるをえない。私たちを待ち受ける未来も、これと似たようなものになるだろう。

ロボットによる肉体労働の代替が進むと、金銭的な対価よりも人間の時間をいかに占有するか、すなわち可処分時間と処理能力が、物事の価値を測る上で重要になる。例えば、Facebookに1時間、Twitterに1時間、国産アプリに1時間、テレビに2時間使っている人は、実質的に国内サービスの滞在時間は3時間となり、3時間分の上がりを国家が、それ以外の2時間分をプラットフォームが持っていく。このように、可処分時間での当人の処理能力の割り当てが重視されると、人々はアビリティ（才能、能力）ベース、もしくはアクション（行動）ベースの発想になる。個々人のアビリティやアクションを、どのような配分で切り出して仕事にするか、あるいはオープンソースに貢献するのか、ということを考えるようになるだろう。

今、我々の世界を支配しているのは、オープンでフェアなゲームではない。オープンでフェアなゲーム——それは、かつての黎明期の「ＩＴ」にあり、それ以前は黎明期の「マスメディア」にあったともいわれている。現在ではまったく想像もつかないことだが、戦後、マスメディアがオープンネスとフェアネスを体現していた時期があったのだ。そして民主主義の自浄作用を担うものとしてマスメディアは働いた。しかし、それはやがてテレビ的なポピュリズムに変化し、政治と世論の情報複合体を作り出した。その権力構造を覆しうる新しいゲームとして登場したのがインターネットだったが、現在ではそのインターネットによって新しい帝国が築かれつつある。すなわちGoogle、Apple、Amazon、Facebookといったプラットフォームの勃興だ。現在、フェアでオープンなゲームは、マスメディアの中にもインターネットの中にも見出すのが難しくなっている。〈受益者負担〉からはほど遠い様態だ。

その中で〈楽園〉側に渡ること、つまり帝国支配下において自由を得るためには、イノベーションの創造によって帝国に買収されるか、あるいは帝国と同規模にまで成長して、新しい支配体制を作り出すしかない。それを実現できるのは、約70億人の世界人口の中の、ほんの一握りだ。

この帝国がもたらす支配と閉塞に風穴を開け、状況を覆す可能性があるのが、オープンソースの思想だ。実際に、プラットフォームに対抗するための動きは、既に一部で始まっている。また、２０１８年のＥＵにおける個人情報の権利をめぐる議論もどんでん返しを起こしうる。

このほかにも、慶應義塾大学の脇田玲先生は「ラボドリブン」という概念を提唱している。[注160] 研究や開発の自由度が上がっている現在は、小さなコミュニティ、つまり「ラボ（研究室）」をいかに作るかが重要になる。そこはコミッションを徴収する帝国的なプラットフォームとは真逆のオープンな世界観であり、生み出した価値は無償で提供される。このラボドリブンをもとにして、第3章で述べたように、分散的でセキュアなエコシステムで近代的IT帝国を超克し、プラットフォームと〈受益者負担〉と〈外れ値によるイノベーション〉を基軸として捉えることができる。

「近代的」IT帝国がもたらす二項対立構造を、オープンソースで全体最適化されたエコシステムに変える手段はある。第3章で述べたように非中央集権的な（受益者負担の）トークンエコノミーをベースにした市場的に自然なシステムに移行することもその一つだ。そうするとそのエコシステムは記述されたプログラム（コード）の規定によって、統治システム（ガバナンス）を保ちうる。グローバルなプラットフォームの利潤の再分配をローカルな既存の国家システムによって行うことは不可能に近い。しかし第3章で述べたように、プラットフォームを持ちうる側と持ち得ない側の違いは、地理的国境的に突破され、トークンエコノミーの普及によって、非中央集権的なオープンソースの思想が汎化することで社会の意思が自然に全体最適化される。これ

注160 ラボラトリ（実験室、研究所）の活動によって駆動されるビジネスモデル。最新技術を取り入れたプロダクトの試作的創出を積極的に展開するのが特徴。アメリカのMITメディア・ラボ、日本のライゾマティクス・リサーチなどが例として挙げられている。

は、現行の社会的コンセンサスをベースとしたプラットフォーマーにとって不利に働く可能性がある。つまり、デジタルエコシステムの破綻を起こさない範囲で、デジタル上の市場、需要と供給による価値づけの関係性は最適化される。なぜならその市場の最適化は二極分解にはなり得ないからだ。二極分解を起こすと対流が止まり、そのエコシステムは機能不全を起こすので、二極のどちらからも忌避される。そのバランスこそが市場を保つ上で重要である。

例えば、ビットコインのマイニングシステム[注161]では、プログラムに記述されているように、ハッシュを見つけたノードがマイニングのインセンティブとして12・5BTC得ることを記述していることで、今のマイニングプールや、マイナーなコミュニティが成立している。そのような、ガバナンスとしてのコーディングによって、全体のコミュニティが成立しているような事例が見て取れる。こういった非中央集権的な最適化によって少数のプラットフォームによる寡占は超克される。これはテクノロジーによって規定されうる「新しい自然」といえるだろう。

Googleや Facebookの新帝国主義的な世界と、Linux や GitHub のオープンソース的な世界の対比構造、これは新しい時代の階級闘争であり、同時に宗教的対立でもある。しかし、帝国はやがてトークンエコシステムにある程度乗り越えられる。帝国のプラットフォームの一部は、ブロックチェーン技術をベースにした分散型のエコシステムに飲み込まれていくだろう。なぜなら、中央集権的な囲い込みと徴税をあたかも前提とするプラットフォームに対し、パイを奪い合うことなく拡大を志向するのが、このエコシステムの力学だからだ。

新帝国主義に対抗する「穏やかな世界」は、オープンソース的な発想によってもたらされる。その実現のためには、現在の世界の構造を見通して、足りない部分を特定し、そこに付け足す技術を、分野を限定せずに研究していくアプローチが重要だ。それは、この章の前半に提示した「べき論」的な働き方がもたらすものであり、それこそが計算機自然――デジタルネイチャーの端緒となる思考なのだ。

注161　ビットコインのマイニング（採掘）の成功報酬は、時間が経過するほどに減少する。サービス開始当初（2009年）の1ブロックの採掘の成功報酬は50BTCだが、18年現在では12・5BTC。2140年頃にはマイニングを終了する予定となっている。

コラム

デジタルネイチャー時代の学習論

技術革新は人間の学習速度を超える

デジタルネイチャー（〈計数的な自然〉）による「全体最適化による全体主義」が実現したとき、そこではAIが重要な役割を担うことになるのは間違いない。既にAIは我々の社会に入り込みつつあるが、そこで必ず出てくるのが「AIが人間の仕事を奪う」といった「AI脅威論」である。しかし現在、世界で起きているのは、それとは少し位相の違う現象だ。

例えば、以前、AIの「AlphaGo」[注162]はトップ棋士のイ・セドル[注163]に勝利したが、「AlphaGo」のエンジニアの囲碁の腕は、イ・セドルよりもはるかに劣るはずだ。この事実が示唆しているのは、既存の専門家から職を奪うのは、AlphaGoのようなAIそのものではなく、AIのエンジニアだということだ。これからはバイオやデザインなど他の分野にもAIが介入し、専門的領域の多くがコンピュータ・サイエンスによって覆い尽くされていくだろう。ただし、それは「AIが世界を統治する」のではなく「コンピュータ・サイエンスの研究者があらゆる分野に進出する」という言い方が正しい。これはあくまで親和性の問題なのだ。

そう遠くない将来、どの分野においても、トップの研究者たちはコンピュータ・サイエンスやロボティクスの研究者とタッグを組むようになり、AIと距離を置く人たちは、影響力を失っていくだろう。AIと組んだ研究者グループによる高度な成果が基準となることで、それに太刀打ちできない人々は淘汰される。この「AIと人間の協業」がオープンソースをベースに展開されることになれば、私たちの社会は大きくその姿を変えるはずだ。

第3章で論じたように、デジタルネイチャーは私たちの社会における「労働」の変化を導き出す。そして、その先に待ち受けているのは、人間の「教育」に関わる大きな変化だ。今、一部の教育現場では、テクノロジーと学習の関係において、決定的なパラダイムの転換が起きつつある。数年前、中高生を対象に、ハードウェア・ソフトウェア・機械学習をテーマにしたワークショップを開催したことがある。3Dプリンタやレーザーカッターを使って基板を組んだり、通信や表示の仕組みを踏まえてウェブアプリと連携したり、データセットを使って機械学習による行動認識を実装するといった内容を、3日間で8時間ずつかけて行った。15歳前後の中高生が3日間という制限時間の中でどこまでできるかは未知数だったが、全員が最後まで課題をやり遂げた。テーマは決して平易ではない。2011年頃には修士論文で扱われていたような内容だ。一見すると高度な作業を、誰一人脱落せずにこなせたのは、共有されるライブラリがわかりやすく、なおかつ、オンラインマニュアルの易しい手ほどきがあるからだ。また、コンパイルの複雑さもフレームワークによって吸収されている。

この事例は、2011年頃に修士論文を書いていた修士の研究成果が、わずか5年程度で中高生に追いつかれたことを意味する。このような知識や技術のコモディティ化が、今驚異的なレベルで進んでいる。

昔であれば、時間を投じて身に付けた能力は、一定期間は希少性が保証されていた。しかし今では、インターネットによる学習効率の向上によって、ある程度の下地があれば誰でも短期間で高度な技能を身に付けることができる。つまり、これまで属人的だと思われていた知識や技術の大半が、インターネットという誰もが同じように履ける「下駄」の部分に吸収されるようになったのだ。

従来の学習は、人間の頭の中に情報を大量に詰め込むことを指していた。そうやって身に付けた知識は、時間が経つにつれて価値を失うが、当時はテクノロジーの進歩が緩慢だったため、20年から30年の間は有効だった。だから学校では「若いうちにしっかり勉強しておく」という指導が行われていたし、そこで得られた知識は、社会に出た後もかなりの期間、価値を維持した。専門的な教育は、その知見が古びるまでに、ある程度の時間的なバッファがあることを前提にして成り立っていたのだ。

しかし、こういった学び方は、徐々に通用しなくなりつつある。オープンソース化することで新しい知見や技術はすぐに共有され、インターネットによって効率的な学習教材が提供される。先ほどのワークショップの例のように、5年前の修士論文レベルの研究を15歳が再現できてしまう時代においては、知識が短期間で市場価値を失ってしまうことを前提として、絶え間なく学習によるアップデートを続け、さらには複数の専門職を掛け持つポートフォリオマネジメントを前提とした働き方を考えなければならない。なぜなら技術シーズはあっという間にプラットフォームに回収されるからだ。[注164]

現在の技術革新の速度は、人間の学習スピードを上回っている。ディープラーニングに関するコミュニティは、査読なしの高速な情報交換を行っているので、よっぽど専門性に長けていないと最先端に追随できないし、逆に、いつビギナーとして学び始めても、一定のレベルまでは到達できる環境が整っている。その習得コストが下がったからだ。

「自分探し」から「べき論」へ

こういった情報環境の変化は、我々の働き方のスタイルを根底から覆すことになる。

これまでの社会では、RPGの勇者のような働き方が理想とされてきた。周辺のモンスターを倒して経験値を稼ぎ、レベルを上げてから次のステージへ向かうという、入念な準備と実績の蓄積を重視するやり方である。

しかし、今後の社会で求められるのは「わらしべ長者」的な働き方だ。何の変哲もない藁に虻をくくり付けることで新たな価値を生み出し、その藁をいかに別の価値と交換するかという発想が求められている。あるいは、イソップ寓話の「アリとキリギリス」における、キリギリス的な生き方と言ってもいいかもしれない。寓話では、夏の間に好きなことをしていたキリギリスは、冬になると凍えてしまう。しかし今は、冬が苦手なキリギリスでも、環境を変えて存分に個性を伸ばせる時代である。キリギリスは自らの才能に賭けて命がけで好きなことを追求し、その成果で南国に移住すればいいのだ。アリのように、危機に備えて我慢を重ねるのではなく、リスクを取って得意分野を追求し、弱点は環境を変えることで克服すればいいのだ。

近代的な人間観とは「自分らしいことをやり、自分らしく生きていく」という考え方であり、これは自分とは何かを考えて思い悩む「自分探し」的な迷いを引き寄せる。しかし、今後の社会で重要になるのは、今現在、即時的に必要なことをリスクを取ってやれるかどうかだ。今ある選択肢の中でできることをやる。そして、やったことによって事後的に「自分らしさ」が規定されていく。

それは「べき論」とそれ以外を、分けて考えるということでもある。時代において合理性があること、つまり「すべきこと」と、合理性よりも自分のモチベーションを前提にした「やりたいこと」。この二つを分けて考えないと、結局、何をしたいのかよく分からないという状況に陥る。「自分がすべき」なのか、それとも「自分がしたい」のか。

前者はニッチを狙った生存戦略として判断可能な手法であり、ある程度、時代の流れを読めれば、コミットすべき領域は見つかる。そして、自分にできることから始めることによって、それまで見えていなかった何がしたいのかが、明確に浮き彫りになってくる。したがって、両者の判別は難しくない。

注162　Google DeepMind 社が開発した囲碁ソフト。2015年にコンピュータ囲碁プログラムとしては史上初めてプロ棋士に勝利。16年には韓国のトップ棋士であるイ・セドルに勝ち越し、17年には中国のトップ棋士、コ・ジェに勝利（3局対決で全勝）。同年、人間との対局からは引退することを発表した。

注163　韓国出身の囲碁棋士。12歳でプロ入り、2007年には名人位となり、国内外の数々のタイトルを獲得。韓国棋界における最強の棋士と目されている。16年に行われたAlphaGoとの5番勝負では1勝4敗で敗北した。

注164　Google や Facebook といったプラットフォームは、新技術を開発初期（シード）段階で取り込み、強大な資金力と技術力を元に短期間で実用化する。個人はこのイノベーション速度に対して、対象分野の絞り込み（ニッチ化）と継続的な学習で追随するしかない、という文脈。

第6章

全体最適化された世界へ

〈人間〉の殻を脱ぎ捨てるために

デジタルネイチャー以降の新世界。それは、〈近代〉に囚われた人々の常識を刷新し、ピラミッド構造から円環系のエコシステムに転用することで人間の〈身体〉と〈精神〉を拡張し、人類の時間単位をはるかに超えた「新しい知性」を出現させる。この章では、デジタルネイチャーが人類にどのような未来をもたらすかについて考える。

計算機自然がもたらす「新しい自然」

計算機的自然、すなわち〈デジタルネイチャー〉とは、人間中心主義を超えた先にある、テクノロジーの生態系である。そこでは〈人間〉と〈機械〉の境目、生物学と情報工学の境界を越境した自然観が構築されるだろう。

グレゴリー・ベイトソンは『精神と自然』[参考28]で、サイバネティクスの影響のもと、自然界の生物が持つ情報論的なネットワークについて論じたが、[注165]その体系がヒトのデジタルによって再現された世界と言ってもいいだろう。〈精神〉は人間知能と機械知能の融合体として表現され、社会構造は〈自然〉へと溶け込む。人々は世界を認識するときに、それが「自然」なのか、あるいは「計算機による自然」なのかを意識することはなくなるだろう。

デジタルネイチャーでは、「〈市場〉という自然」「データのもたらす自然」「三次元的オーディオビジュアルの自然」という3種の自然が積層された世界を構築する。これは大気の中を生活圏に選んだ我々人類に与えられたさまざまなデータの作り出す「情報の波の海」だ。

コード化によって変わる遺伝的多様性

人類の新しい進化は、遺伝的多様性の縮小と実質的な拡大をもたらす。

注165　ベイトソンは著書『精神と自然—生きた世界の認識論』で、この世界の根源的な構造について、情報理論、文化人類学、論理学などの知見を交えながら論じている。第4章「大いなる確率過程」では、サイバネティクスの知見を遺伝学に応用することによって、進化論の独自の拡張を試みている。

世の中には、身体に障碍を持って生まれてくる人がいるし、先天的に特定の疾患を患いやすい人もいる。これはいずれも人類の遺伝的多様性の高さによって発生する。しかし、ゲノム編集技術の発達は、ある程度の先天的な問題を遺伝子レベルで解決するだろう。世代が進むにつれて遺伝的な偏りはならされ、遺伝的多様性は失われる。そして、遺伝情報は人類の共有財産としてオープンソースで保存されるようになるはずだ。多種多様な遺伝情報が物質性を持たない状態で電子化され、その中から有用な因子のみが遺伝子として物質化される。物質化された因子はデジタルになる。

しかし、遺伝情報の均質化は、人類全体の存続を考えると必ずしも歓迎すべき事態ではない。なぜなら外乱に対する共通の脆弱性が生まれるからだ。

例えば、スリムな体型が美しいという価値観のもと、遺伝子的に体脂肪率を5%以下にコントロールされた美男美女たちばかりで構成された社会を考えてみよう。突然、地球上に氷河期が訪れたら、その社会はひとたまりもなく壊滅するだろう。遺伝的多様性が失われた世界では、急激な地球環境の変化や、感染力の強いウィルスの出現などによって、全人類が一気に滅亡することもありえるのだ。

とはいえ、人類の遺伝情報の均質化は、ゲノムのデジタル化が進む以上は避けがたい傾向となる。なぜならソースコードは本質的に「揃う」ことを指向するからだ。

GitHubではブランチが複数に枝分かれしたとしても、最終的には単一のコードに収束する。同じように、ゲノム編集技術で、遺伝子情報がデータ的に操作されるようになると、その遺伝情報はさまざまなバージョンを生みながらも、最終的には一つの最適解へと近づくだろう。その最適性ゆえに、多くの人類がそれを取り込もうとするが、それは同時に、均質化された人々が同じ脆弱性を共有することを意味する。

確かに、自然環境によって育まれた多様性を担保することは重要かもしれない。しかし、遺伝情報の均質化が不可避である現状においては、むしろ、脆弱性を補いながら、どのような身体性を新たに獲得するのかについて考えるべきだ。それは例えば、テクノロジーによる身体や感覚器の拡張であり、それによって、人間の多様性は実質的には拡大するだろう。テクノロジーがその差異を吸収するからだ。

ロボティクスとVRによって解放される「身体」

3Dプリンタで作られた義手[参考29]や義足は既に存在する。しかし、健常者が腕や足を切断して装着する段階には至っていない。特に足については、疲れることがない分、機械の方が便利という声はあり、冗談でロボット化したいと言う研究者はいるが、本当に切り落とした人は聞いたことがない。機械化で高機能になるとしても生得的で有機的な身体の方がいいという人がほとんどである。

とはいえ、研究者からそんな冗談が出てくる時点で、変化の兆しは現れている。こうした常識や価値観は、今後20〜30年のスパンで変化するのではないだろうか。この計算機自然のもたらす多様な身体機能へのフィッティングについては、僕自身も「JST CREST x Diversity プロジェクト」[注166]などで積極的に研究を進めているところだ。

有機的な身体がデジタルに置き換えられると、身体の物質性と実質性の境界があいまいになる。例えば、自宅にいる間の身体はVRでいいという人もいるだろう。HMDを付けてベッドに寝転っているだけで、家の中の大半のことを済ませられるようになるかもしれない。仕事もテレイグジスタンス[注167]でロボットを遠隔操作すれば職場まで行かずに済む。その頃のロボットは画一的な量産型ではなく、プリンティング工場で用途や嗜好に合わせた多種多様な製品が生産されているだろう。

人間がロボットを操作する、あるいは、人間が機械に操作される、さらには、仮想の世界で物事が完結する――こういった世界では、〈物質〉と〈実質〉は、ほとんど等価になる。同時に、現実と虚構の区別もつかなくなるだろう。〈現実的な虚構〉と〈虚構的な現実〉の間で、人々は揺れ動くようになる。そのために必要なハードウェアは既に揃っていて、あとはコストの問題と、人々の「慣れ」に多少の時間がかかるだけだ。

地球上の生物は、原始の海から生まれ、地上、空へと活動の領域を広げてきた。では、次なる進化の先はどこだろう。機械と遺伝子操作によって拡張された人類が目指すべき身体、例えばそれは「真空で生きられる身体」であってもおかしくはない。実際、イーロン・マスクは２０３０〜40年までの実現を目指した火星移住計画を企てている。[注168]

注166　落合陽一が代表を務める、ＪＳＴ（科学技術振興機構）のCRESTに採択されたプロジェクト。〝できないこと〟の壁を取り払い、〝できること〟をより拡張できたら、本当に個性が活かせる社会になるのではないかという視点から〝計算機によって多様性を実現する社会に向けた超ＡＩ基盤に基づく空間視聴触覚技術の社会実装〟の実現を目的にしている。

注167　遠隔臨場感、遠隔操作感。離れた場所にあるモノや人間の存在を身近に感じながらリアルタイム操作を実現する技術。遠隔操作しているロボットと感覚を共有することで、人間の存在を仮想的に再現する技術などの開発が進められている。

注168　イーロン・マスクのスペースX社は、２０２４年までに火星に有人宇宙船を送る計画を進めている。将来的には自給自足のコロニーを建設し、１００万人規模の民間人を移住させる予定だ。マスクは火星移住計画の目的を「将来的な人類の存続のため」としている。

解体される「自我」「幸福」「死」の概念

変化は私たちの身体に留まらない。私たちの精神についての考え方も、大きな転換を迫られる。〈近代〉が作り上げた、自由意志の存在を前提に権利を設定し、それに基づいた幸福を追求する世界は、いずれ終わりを迎える。そして、〈人間〉や〈権利〉といった価値観の枠組みから解放された幸福が、コンピュータによる生態系の中で自動的に「自然的に」生成される時代が訪れるだろう。その兆候は、既に至るところに現れ始めている。

例えば「人間には自我があるのか」という命題がある。実は人間には内面的な自我は存在しておらず、海馬から引き出した記憶とその判断の積み重ねが、ブラックボックス的な見え方をしているだけだという説もある。私たちが自我だと思っているものは、実は、膨大なインプットが生み出した複雑な反応に過ぎず、そこには実体的なものは何も存在していないのかもしれない。これに対して、深遠な哲学に基づいた言葉は人間にしか生み出せず、それこそが自我の実在の証明であるという反論もある。とはいえ、人生経験という膨大で不可視のインプットを、すべてデータとして可視化できれば、哲学的知見も論理的な情報の体系として機械的に再現できるかもしれない。

コミュニケーション様式の変化によって、人間の「感情」が持つ意味も変化している。例えば今、求められているのは、カジュアルな調子の言葉を敬語に自動変換するメールやSNS用のフィルターだろう。メッセージが機械によって自動的に敬語に書き換えられていても、受け手はそれを虚構とは思わない。極端なことを言えば、本人は「ふざけんな」と思っているのに、機械が勝手に「昨日はごめんね」というメッセージを送るかもしれない。そこでは、人と人のコミュニケーションに介在するコンピュータによって人間に感情が存在する意味そのものが揺らいでくる。

現に僕のコンピュータではメールを書くときに、最初の一文字を打つだけで敬語の文章が自動入力されるように設定している。「お」と打つと「お忙しい中、大変恐縮ですが」と自動補完される。心を込めることもなく丁寧な文章が書けるので、事務連絡がとても捗るが、これは果たして言語で定義された「感情」の問題なのだろうか。

「幸福」の定義も考え直す必要がある。例えばRPGの世界で勇者として活躍しても誰も評価しないが、それが楽しいという人は一定数いて、誰に褒められるでもなくデータを収集し、数百時間も部屋に篭もって遊び続けていたりする。実は僕もそれに近いタイプで、今でも一人で引き篭もってどうでもいい論文を書き続けたりするのが好きだ。今後はあらゆる活動がゲーム的になり、大多数には共有できない種類の「幸福」によって成果が生み出されるようになる。逆にいえば、そういった幸福の追求に関心のないタイプの人は、何に力点を置いて生きればいいのか分からなくなることもあるかもしれない。

さらには、誰もが避けられない「死」についての概念も、その意味合いを変化させるだろう。Twitter のＢｏｔは一度設定されると、本人の生死にかかわらずツイートをし続ける。物理的な身体が消滅しても、膨大なインプットの蓄積をＡＩに処理させれば、死者が語るであろう言葉を無限に生成し、永遠に喋り続けるのだ。この状態は果たして「人間の死」と呼べるのだろうか。

今後は〈実質〉と〈物質〉、〈機械〉と〈人間〉の区別がつかない世界になる。そのとき我々に残るのは、理性や論理を超えた「宗教」に近い価値観ではないだろうか。そのとき、私たちの考えていた「人間らしさ」についての概念、つまり「人間性」そのものが脱構築されていくのだ。

失われた多様性をインターネットが担保する

ここで人間を、「身体」「意識」「情報」の三層からなる存在として考えてみよう。

このうち、最も最適化が進みやすいのは「情報」の層である。Amazonは使い続けることでレコメンドの精度が上がり、自分好みの商品が表示されるようになる。Facebookのフィードも同様で、こういったコンピュータからの操作によって、我々の興味や関心は徐々に個人に最適化されつつある。

その結果、「意識」の層においては、先鋭的な内面が醸成されるようになる。特定方向に突っ走ることを是とする情報環境が整ったことで、ニッチ化が始まると加速度的に先鋭化し閉じてゆく。自分の好きな領域の情報のみ耕し続けることで、極めて尖った個が現れる一方で、そういった個人が集合した社会は相互間の対話の困難、いわゆる島宇宙化[注169]の状態を招くことになる。

物理的「身体」の領域においては均質化が進行し、意識の領域においては先鋭化が進行する。対象的な表れ方をしているが、いずれの場合も問題になっているのは、人間のデータがコンピュータに均されることによって生じた「多様性の喪失」への選択だ。

注169 社会学者の宮台真司氏が提唱した概念。高度な情報化が進行した社会では、人々の間で物語や認識の共有が失われ（「大きな物語」の喪失）、細分化した価値観のもと、相互分断的な小コミュニティが乱立する。この現象を島宇宙化と呼ぶ。

外れ値を好まないために失われた多様性を、インターネットが担保すると考えてみよう。個人が持たない情報や備えていない因子をインターネットが代替すれば、その多様性を個人が引き受ける必要はない。「多様性の外部化」を進めることによって、何らかの問題が生じた際には、機械がその欠損を補ってくれるようになる。現代のコンピュータサイエンスの研究者たちが、機械学習や集合知を利用してさまざまな問題に対処し始めているのは、その統計的兆候と言えるだろう。

こうした「外部化されたインターネットの知性」の実装は、オープンソースという「下駄」によってさらに加速する。全体最適化による個々の均質化が進んだ人間は、単体では確かに脆弱に見えるが、「下駄」さえ確保できれば、外部に対しての強度を保てる。

ある専門分野に特化した知性が、他分野の知識に欠けているなら、それは必要のない知識を外部化していると考えるべきだろう。「Googleで検索すればわかる程度の情報を、わざわざ記憶しておく必要はない」という意味において、それは全体最適化に適応した人間の、あるべき姿なのである。

人間の生物的限界を超えた知性が出現する

私たち人間は、生物学的な寿命の限界に縛られて生きている。その中で目的の実現を目指すのであれば、問題を短時間で解決するフレームワーク、先に挙げた「てこの原理」のような高効率な手法によるラディカルな変化が求められる。

それに対して、個人の人生を超越した全体性を想定する場合、変化はより長いタイムスパンに及び、ゆるやかな速度で進む。この時間尺度で捉えたインターネットは、人類の集合知であると同時に、人類の生物学的限界を超えた「寿命から切り離された知識」と言えるかもしれない。

こういった壮大な全体性が想定された事業の例は、人類史上においてほとんど見当たらない。約300年の建造期間が想定されているアントニ・ガウディのサグラダ・ファミリアや、1000年以上もの間、増築され続けた万里の長城は、その数少ない例外であろう。このような数百年単位で完遂される知的活動の事例が少ないのは、人間寿命を超越した時間単位で働く知性は、生活実感に基づいた人間的知性とは思考の次元が異なるからである。

この時間的スケールの知性のあり方を考えるときに、興味深い事例が日本の「伊勢神宮」にある。伊勢神宮では、約1300年にわたりまったく同じ構造物が造られ続けている。20年に一度行われる神宮式年遷宮で、同一の社殿を隣に組み上げてから壊すという行為を7世紀から繰り返している。ハードコピーなので亜種は存在しないし、木材の伐採からその後の処理に至るまで、すべての手順が決まっているため、変化の余地は一切ない。1300年前から、構造は変わっていないのである。トマス・モアはユートピアについて「高度に発達した環境」と「変化のない恒常的な社会」と定義したが、[注170] 伊勢神宮はまさにそれに該当している。伊勢神宮は、ハードウェアのコピーにのみ準拠したことで、人間の知性を超越した永続性を可能にしているのだ。

また別の事例として、状況に応じて作られた巨大な仕組みが、人間の思惑を超えたところで全体性を帯びることが、往々にしてある。例えば、津波の防波堤がそうだ。最初に防波堤が建てられたのは、震災被害を食い止めようとした人間の意志によるものだろう。しかし、一度システムに組み込まれた防波堤は、それ自体が意志を持つかのように存在し続ける。後世の人々は誰に命じられるでもなく、防波堤を修理し続ける。次の大地震が来るまでのタイムスパンが、人間の一生より長ければ、その活動は個人を超えた意志のもと持続される。いずれはインターネットも、巨視的な前提による「人知を超えた構造物」を、数多く生み出すだろう。

大局的変化は魔術化される

全体最適化は、自然界においては「自然淘汰」として機能している。この働きを人為的に進めようとしたのが20世紀の優生学だ。先天的な疾患のある弱者を断種する思想で、ナチスドイツのホロコーストの理論的背景になったこともあって、戦後は倫理的にタブーとされた。オルダス・ハクスリーは1932年に、ディストピア小説『すばらしい新世界』で、この悪しき「優生学」が全面化した社会を描き出している。[注171]

このように、全体最適化を個人に適用しようとする行為には、倫理的な問題が常につきまとう。しかし、人間の寿命を超えた時間単位で行われる施術――遺伝由来の疾病を患う人間を何世代もかけて減らすというアプローチでは、倫理性は問題にならな

注170 トマス・モアは16世紀の人文主義者。著書『ユートピア』では、社会主義的に統制された理想郷を描いた。ユートピアはモアの造語で「存在しない国」「時間のない国」などの含意がある。彼が描いた高度に発達し、かつ恒常的に維持される社会のあり方は、多くのユートピア（あるいはディストピア）観のモデルとなった。

注171 『すばらしい新世界』の未来社会では、自動車王フォードが神格化され、大量生産と大量消費が推奨されている。また結婚や家族の制度は解体され、受精卵の選別で階級にふさわしい肉体や知能を持った人間が誕生するように操作されている（これは特定のテーゼに支配された制度であり、〈自然〉プロセスを採用するデジタルネイチャーとは大きく異なる）。

い。遺伝子治療が普及すれば、子供が生まれる前に疾患の原因となる因子だけを取り除くことができる。これは「環境に適さない因子を除去する」という意味での治療、つまり自然淘汰による全体最適化と同じであるが、この行為を非人道的であると非難する人はいないだろう。これはテクノロジーによる人類の全体最適化である。相補的構造の構築のために人間を生かしながら、そのデータを整合させる処理だ。そして、この全体最適化は人間の倫理観に抵触しない。仮に、心臓病を発症させる因子を撲滅するための操作が何世代もかけて行われていたとしても、我々がそれを自身の問題と捉えることはないだろう。

「ＡＩと全体主義」というテーマで、よく取り上げられる古典が、ジョージ・オーウェルのＳＦ小説『１９８４』[参考30]だ。この作品に描かれているのは、国民全員が、テレスクリーンという映像通信装置を通じて独裁者ビッグ・ブラザーに統制された管理社会で、逆らう人間は抹殺される。最も有名なコンピュータによるディストピアだろう。

しかし、進歩したＡＩは本当にそのような社会をもたらすのだろうか。人間ではなくインターネットに主眼を置いたスキームで物事を考えてみよう。

我々の地球が誕生したのは約45億年前のことだ。そのとき陸地が誕生し、やがて海が生まれた。この海の寿命は40億年くらいはありそうだ。

そして、人間が生み出したインターネットの寿命は、おそらく数千年以上あると僕は考えている。人類が滅亡して次の種族が現れた頃にも、この地球上を覆い尽くしたネットワークは形を変えて生き残るからだ。この時間単位から見れば、人間の寿命は圧倒的に短い。我々の目から見た、研究室で飼われている実験用のハツカネズミのようなもので、個別の人生に対しての適応が生じる可能性は低いのである。

ハツカネズミの寿命は約1年。その子孫の寿命もまた1年で、それが何世代も続いていく。インターネットから見た人間存在も同様である。人類よりはるかに長い寿命を持つインターネットは、私たちの人生には直接関わりを持たず、寿命単位で区切った世代的なスパンでしか人間を認識しないだろう。

このように「人間を中心とする世界観」から「機械を中心とする世界観」へと思考を転換し、人間をインターネットに隷属する要素として捉えた場合、仮にAIが人類に対して何らかの干渉を目論んだとしても我々を直接不幸にするようなアプローチは取らないことが分かるはずだ。コンピュータにとって不都合な人間を滅ぼすにしても、わざわざ虐殺を始める必要はまったくない。人間は80年経てば死ぬ。そして数千年の寿命を持つエコシステムがたった80年を待てないわけがない。人類の全体最適化は、問題因子の次世代への継承を止めることによって、ゆるやかに進んでいくことになる。

もちろん、この最適化はテクノロジーなしでは成立しえないことを留意されたい。コンピュータが推し進める全体最適化は、「死の概念」や「個人の幸福」といった人間の倫理観を超越している。しかしそれが、人間の尊厳や基本的人権を直接的に脅かす可能性は低いだろう。なぜなら、人間が判断や意思決定しうるスパンは、せいぜい自分の一生、80年程度が関の山で、それ以上の時間的スケールを要する問題はおのずと認識の外側に置かれるからである。

この世界には、「インターネット的な時間」と「生物学的な時間」が存在している。数千年生きるかもしれない前者から見れば、人間の一個体の生存時間は取るに足らない問題でしかない。我々の外側に存在している、とてつもなく長い寿命を持った環境、それが人間の想像をはるかに超えた膨大な時間をかけて、人類の形を変えていくだろう。

その観点において、シンギュラリティ以降、機械が人間を滅ぼすという議論は、そもそも問題として成立しない。インターネットやコンピュータが人類に反抗しようがしまいが、それは、私たちの生存時間においてほとんど意味を持たない「誤差」に過ぎないのである。

ユビキタスコンピューティングの普及により、私たちはコンピュータの存在にも、それがもたらす変化にも気付かない状況を迎えつつある。我々がぼんやりしている間にも、変化は確実に起きている。その根底にあるのは、テクノロジーに投影された人類の意思ではあるが、はるかな未来、人類の寿命と想像力を超えた領域にあっても働き続けるであろうその指向性は、もはや「テクノロジーそのものに宿った意志」とみなしてもいいのかもしれない。誰によるでもなく、誰に気づかれることもなく、決定的な変化は起こっていくだろう。

コンピュータがもたらす全体最適化による問題解決、それは全体主義的ではあるが、誰も不幸にすることはない。

全体最適化による全体主義は、全人類の幸福を追求しうる。

現在の世界の枠組みを超越するための「新しい〈自然〉」の発明、これはその始まりに共有されるべき新しいビジョンなのだ。

終章

思考の立脚点としてのアート、そしてテクノロジー

未来を予測する最適の方法としての

「未来を予測する最善の方法は、それを発明することだ」とアラン・ケイは言った。デジタルネイチャーの実現には、旧世紀の軛を脱し、時代の歯車を回転させるための幾つものブレイクスルーが必要だ。この章では、本書で論じてきた理論的内容の実践として展開してきたものと美的感覚の接続を議論し、テクノロジーとアートの成果や、身体多様性に向かい合うプロジェクトなどを紹介する。僕が今、熱量を持って取り組んでいるこのような手法に見られるように、予測だけでなく、手を動かすことが意味を持つのだ。その言語と現象の反復と繰り返しによって最適解を探求している。

〈超人〉・〈身体性〉からデジタルネイチャーへ

我々が想像する未来像「デジタルネイチャー」は、ユビキタス・コンピューティングの発展の先に、〈実質〉と〈物質〉の境界、〈人間〉と〈機械〉の区別が融解した世界だ。再魔術化ののちにたどり着く、自然のアップデート。コンピュータは融けて境界は不明になり、思想やシステムは既存のものからアップデートされる。その実現のために、僕が主宰する「デジタルネイチャー研究室」[注172]では、テクノロジーの発明に伴うアート表現やデザインの領域まで含めたアプリケーションドリブンの学際的な研究を行っている。デジタルネイチャーは近い。我々は今、何がバーチャル（実質）で、何がマテリアル（物質）なのか区別がつくことなく、解像度を超越し、その区別が意味のない世界、人間の会話とプログラムが生成する会話を判別できない領域に突入しつつある。時間と空間の概念理解がコンピュータの中でのデータのやり取りとして抽象化され、あらゆる物理現象の最適化のためのコンピューティングが分散化し自動化しうる。その意味では知能化した超自然とも言うことができるだろう。デジタルネイチャー研究室では、その到来をイメージし、そのために必要な要素技術や文化を論ずるために必要なアプローチを研究している。具体的には、ホログラムやファブリケーション技術の最適化の議論、そういった問題を解くための機械学習技術の基礎的な論述、アプリケーションを意識した機械学習の応用、実践とユーザースタディのクロスオーバーなどの研究と、それに加えた作品としてのアウトプットだ。

注172　2017年12月より、ピクシーダストテクノロジーズ株式会社との特別共同研究事業となり、正式名称は「デジタルネイチャー推進研究戦略基盤」に変更されている。

こういったエンジニアリングとデザイン、アートとコンピュータサイエンスの創発は、実践と思想が切り離せなくなった現代においてメディア技術を探求するのに不可欠な行為だ。メソッド化（エンジニアリングとデザイン）と複雑な文化性（アートとサイエンス）の相補的な「敵対的生成」が新しい価値を切り開いていく。テクノロジーそれ自体の複雑な文化性を理解し、アートへ組み込むことでメディア装置の鑑賞は可能になるし、その視座はメディアのエンジニアリングとデザインを創発する。このプロセスの高速化と渾然一体化が今求められている。そのために僕はデジタルネイチャー研究室とピクシーダストテクノロジーズを率いている。社会実装という都市彫刻の一つの形だ。そのくらいの大きい循環的視座でしか、デジタルネイチャーを俯瞰することは難しいのではないかと考えているからだ。

デジタルネイチャー化、計算機自然化。この10年間の世界をドラスティックに変えた「スマートフォンとIoT」が実現しつつあるユビキタス社会のさらに先にある、よりドラスティックな変化の前触れであり、思想史的には「人間中心主義」から「機械と人間のハイブリッド主義」そして、「知能による自然」への変化と言える。超自然はおそらく超人の形を突破し、人の形も環境の形も相互作用によって大きく変動させるだろう。我々の論理と感覚のフレームは人間の処理能力と生得的解像度による量子化を突破し、インターネットに接続された自然の上に展開される。それは、今の映像的なフレームで切り取る自然ではなく、フレームの外へ飛び出した自然の形である。

とはいえ、このフレームの問題は一見すると根深い。例えばスマートフォンのエコシステムを考えれば、スマートフォンやパーソナルコンピューティングに伴うＡＩ技術やプラットフォームは、プラットフォーマーであるグローバル企業に制圧されている。[注173] ここから見える視座のどこにそこまでドラスティックな新しいイノベーションの余地があるのか。

その鍵になるのは「身体性」と「事事無碍」だと僕は考えている。例えば、人間が操作する情報インターフェースは映像装置の発明以後、二次元に留まったままだ。未だこの環境は身体をインターフェースとして完全なものにしていないし、コーディングはロジックに基づき、スクリプトを書くことで実行される。しかし、本質的に情報技術はコア部分と外周部分で、それぞれ違った戦略を必要とする。直接人間の身体が

注173　ＡＩの技術競争では、Google、Apple、Amazonといったグローバル企業が圧倒的な優位にあるが、その理由はビッグデータの独占的保有にある。たとえばGoogleはＡＩ「TensorFlow」を無償で公開しているが、世界中のAndroidから膨大なデータを得られる以上、彼らの優位性は揺るがない。プラットフォーム企業の支配体制は、ＡＩの時代においても継続している。

接触する部分に関しては、日本の「緻密な丁寧さ」、そして「おもてなし」に通じる価値観、具体的には製品の丁寧な仕上げや、挙動の安定性などがもたらす、身体感覚に訴えかける体験が重要だ。その上で「事事無碍」的な、ある種の魔術化とある種の自然化を伴った、無意識下に行われる適応が不可欠である。こういった変革によって、ビジュアルとオーディオを用いたＩｏＴの中核を、プラットフォーマーのＡＩが占めつつある現状から、ＩｏＴの外周に関わる身体性を活かした技術と表現など、そこからくる新しいイノベーションが生まれるはずである。

〈物質〉と〈実質〉の垣根を突破するのは、平面的に展開される映像メディアを超えた、より高解像度の体験だ。僕たちは、音や光などのホログラフィックな基盤技術をとっかかりにしてこの世界のことを捉えようとしている。映像と物質に対応する、ホログラフィックな光と音の処理、そしてデジタルファブリケーションによる形状の議論、それらを支える計算機の最適化技術や知能化技術。それらのコアな基礎技術の上に構築されるアプリケーション技術のデザインを通じて、〈物質〉と〈映像〉、〈身体〉と〈機械〉の関係性の再定義を考えている。それは最終的には、コンピュータ制御によって素材を作成する「コンピューテーショナルマテリアル」、情報提示と入力を行う「ヒューマンインターフェース」、人とコンピュータの垣根を超えてシステムを構成する「ヒューマンコンピューテーション」という3つのテーマに集約される。

ここからは最後に、本書で論じてきたデジタルネイチャーの世界へと向かうための実践として、デジタルネイチャー研究室の成果を例に出しながら未来を描いていこう。

デジタルネイチャーの始まり

僕が最初にデジタルネイチャーについて考え始めたきっかけは、電子回路の構造をフラクタル[注174]的に、そして再帰的に眺め始めたことだ。電子回路でヴァニタス[注175]は作れるか？　ということを考えながら、曼荼羅と回路の相似形で都市を形作るようなことをぼんやり考えていたのを覚えている。

注174　全体と細部がどこまでも相似関係にあるような構造。たとえば海岸線の凹凸は、どんなに接近してもその複雑さは単純化されず、岩石、砂粒にまで拡大しても、断片に海岸線と同じような凹凸を見出すことができる。同様の構造は葉の葉脈、鳥の羽など自然環境のあらゆるところで観察できる。

注175　16世紀から17世紀にかけてヨーロッパ北部で隆盛した静物画のジャンル。頭蓋骨、楽器、果実、ランプといった寓意的なモチーフを組み合わせることで、死や老衰といったテーマを表現した。

『Human Breadboard（ヒューマンブレッドボード）』［図5］という名前に表れているように、電子回路を作る際に用いる穴の空いた板をブレッドボードというが、この作品では、49枚のブレッドボードを正方形に配置し、各々の上に植物や昆虫、人間の生体センサーを配置してさまざまな回路を作成している。それらは相互に連結されることで巨大な回路を構成し、さらに、配置された脚立に登って俯瞰すると、この展示全体が一つのブレッドボードを形成していることが見て取れる。この作品は、ブレッドボードという電子回路では標準的に用いられるカンバスに、〈生物〉と〈人間〉の共通言語である〈電気〉という絵具を用いて、一つの世界を形成したものだ。

この時期の僕は、コンピュータを人間の上位概念と捉えていて、電子部品と人間の間には本質的な差異がないことを示すべく、人間をクロックとして使用するブレッドボードのアイディアを作品化した。この「デジタルと

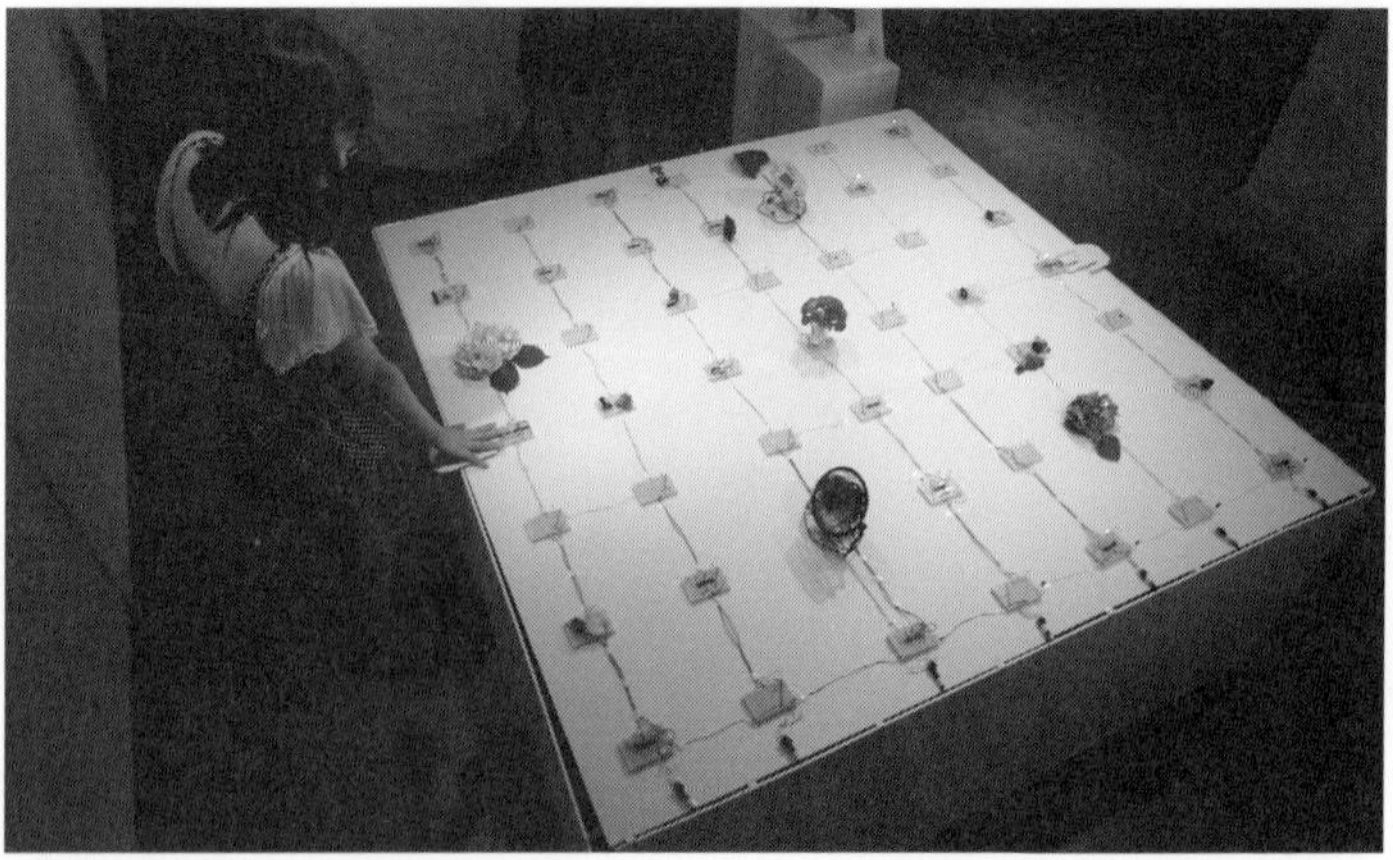

図5—Human Breadboard（2011年）

アナログの区別のつかない装置」は、後のデジタルネイチャーにつながる第一歩となった。前著『魔法の世紀』でも述べたが、この世界を俯瞰して見たときに、人がコンピュータのミトコンドリアなのか、コンピュータが人のミトコンドリアなのか区別がつかなくなった。[注176] そういったときに相補的にカップリングされたエコシステムを表現する方法を模索していたことを覚えている。そういった人とテクノロジーのエコシステムが生まれたのはいつなのだろうか。ケビン・ケリーの語る、テクニウムのような生態系によってできた自然[注177]を考え続けてきた。メディア装置をメタファーに人の感覚器と人とテクノロジーのエコシステムの関係を試作すると今までと違った視座を開きうるだろう、とぼんやり考えていたことがのちの「デジタルネイチャー」というアイディアにつながった。

注176 ミトコンドリアは細胞内のエネルギー生産を担う器官で、「ミトコンドリアRNA」という独自の情報伝達系を持つ。その起源は、単細胞生物が外部から取り込んだ好気性細菌であり、元々は別個の生命体だったとされる(細胞内共生説)。太古の海で融合し完全に不可分となった細胞とミトコンドリアの共生関係は、人間とコンピュータの関係になぞらえられるだろう。

注177 ケビン・ケリーは著書『テクニウム——テクノロジーはどこへ向かうのか?』の中で、テクノロジーの進歩を生物進化と同様の、適応と淘汰に基づいた自律的な発展過程と捉え、テクノロジー手法同士の関係性の中に生態系的なメカニズムを見出している。

メディアは感覚器的な拡張を志向する

メディア技術とメディア技術の作るエコシステムについて考えるとき、僕はよくエジソンに思いを巡らせる。エジソンは、リールの回転から映像を生み出す「キネトスコープ」や、円盤の回転を利用して音を再生する「蓄音機」を発明したが、これは運動エネルギーの変換を原理とする新しいメディアによって、人間の視聴覚をアップデートしようとする試みだ。本書の第1章では、こういったエジソンの発明をメディアアートとして再定義したが、その上で僕が考えているのは、当時のエジソンの試み、つまりオーディオとビジュアルメディアによる人間の感覚器の拡張の現代的な更新、計算機資源による拡張だ。三次元へ、そして物質へ、そして物質でも映像でもないものへ。未だ見たことのないものを描くための技術革新は、絵画や彫刻の延長であり、技術論でもありながら芸術論でもある。人為のエコシステムの拡張だ。

〈映像〉でも〈物質〉でもない、その中間の存在を生み出す表現と技術に、僕は強く惹かれる。前世紀の映像メディアは、人間の耳と目の解像度に規定された知覚器官の写像であり、現在の映像コミュニケーション主体のハードウェア、例えばスマートフォンもその延長線上にある。しかし、来るべきメディアでは、人間の感覚器の解像度的な制約[注178]を突破する必要がある。そして、その解像度制約の突破によって、新しい視座や物質と映像を超えた表現を生み出す可能性がある。僕はホログラムによる物理的場の生成にその一端を見た。

『Fairy Lights in Femtoseconds』［図6］は、100兆分の3秒という超短パルスのフェムト秒レーザー[注179]を用いたホログラムによって、空気分子をプラズマ化することで空気中に立体図形を描き、指が触れると反応する空中

注178　現在のメディア技術は、人間の感覚器の判別限界に合わせて設計されている。例えば視覚ならリフレッシュレート60～120Hz、解像度4～8Kの映像規格。聴覚なら22・1kHzを上限とする音響規格のように。

注179　フェムト秒（1000兆分の1秒）単位で発振するパルスレーザー。工業用途での超微細な表面加工や、繊細な処置が必要な外科手術などに利用されている。

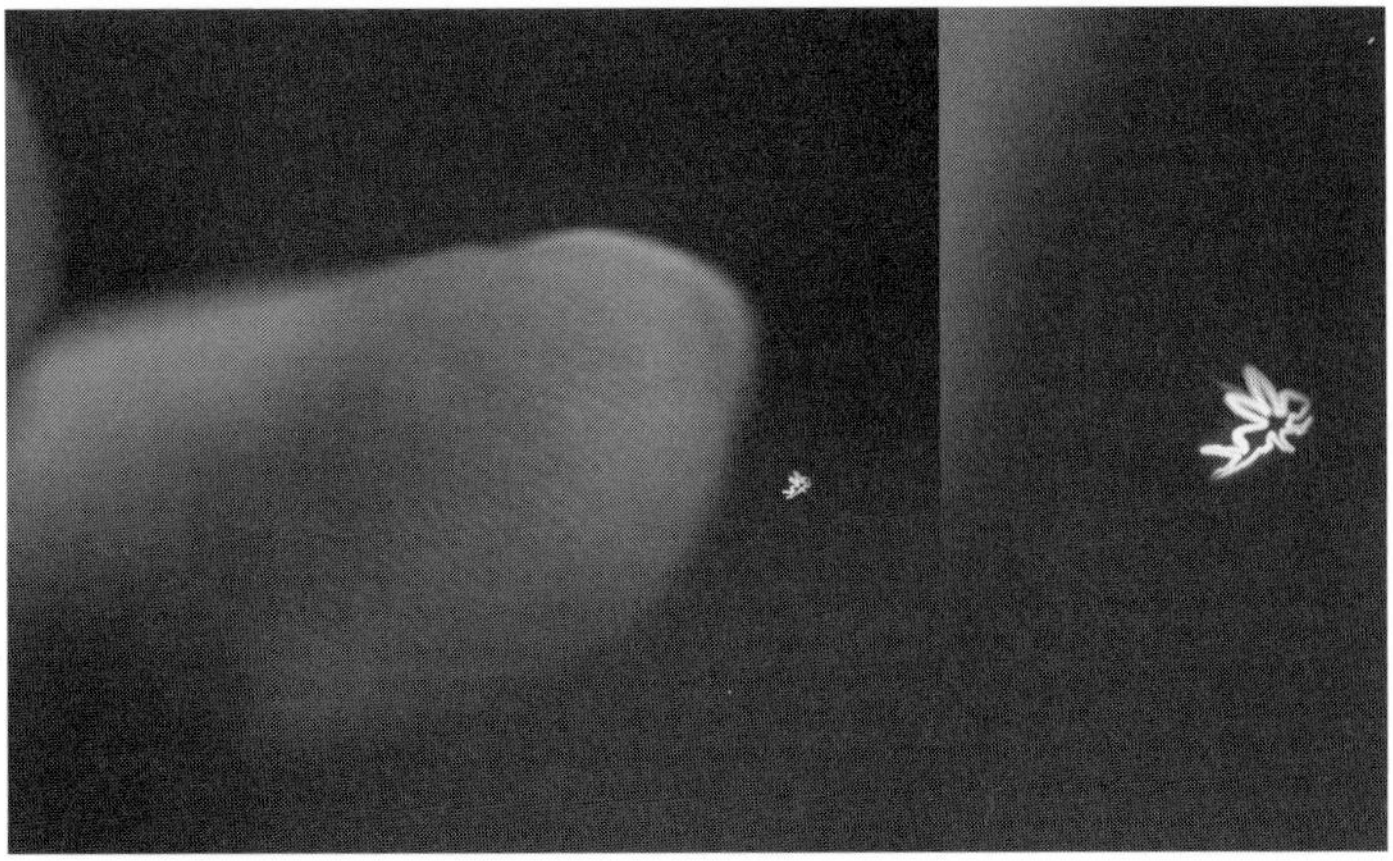

図6―Fairy Lights in Femtoseconds（2015年）

三次元触覚映像を作り出す技術だ。プラズマは熱を伝える間もなく消失するため、このホログラムは、静電気的な触覚を与える角質へのわずかな削れ以上の影響を生体に与えない。テクノロジーとしては、高解像度化と低エネルギー化が肝になった。三次元映像を作ろうとする試みは今まで多く存在したが、空中でアクティブに直接映像を描き、それが物質的な触覚を持つような試みは初めてのことだった。技術論としての新規性と貢献は、そのようなメディア装置の探求に見られたが、映像装置としての文脈でもアルスエレクトロニカ[注180]などの機会で認知されるようになった。

アートとしての、物質と見分けのつかないフェムト秒の妖精は、「微かなもの」と「確かなもの」に宿る幽玄性[注181]の表象だ。触覚ある空中三次元映像は、物質性と映像性の間にある原理的な壁を取り去り、アートとサイエンスを融合させた新たな視座をもたらす。デジタルは平面から空間に染み出すことで、物質と映像が混ざり合う、そして区別なく消えうる、質量のあるなしにかかわらない情報的な、そしてフレームの内外の区別のない〈自然〉的な未来と情報の存在感を志向する。

第1章で論じたように、リュミエール兄弟によって発明された「映画」は、観客全員が同一コンテンツを共有するメディアだが、その一方で、エジソンがキネトスコープで開拓した「個人化したメディア」の可能性は手付かずのまま残された。特に、個人に最適化された音響信号のメッセージングは、人間の音声感覚器——「声」と「耳」の未知なる可能性を開拓する。

『Holographic Whisper』［図7］は、狙った人物の耳元で囁くように音を聞かせる点音源スピーカーだ。従来のビーム型スピーカーでは、狙った人物の同一直線状にいる人にも音が聞こえてしまうが、この技術では、何もない空中に音源を「点」として自由自在に配置できる。

超音波は人間には聞こえない周波数の音だが、音圧がある程度以上に大きくなると、変調成分が可聴音として放射される。その現象を利用して、多数の超音波振動子

注180 オーストリアのリンツで開催されているメディアアートの祭典で、僕は2015年以降、毎年出展を行っている。16年には『Fairy Lights in Femtoseconds』が、同イベントのコンペティションであるプリ・アルスエレクトロニカのインタラクティブアート＋部門で入選を果たした。

注181 幽＝移ろうかすかなこと、玄＝根源的で確かなこと。

図7—Holographic Whisper（2016年）

を個別に適切な時間差で駆動することで、空中に超音波焦点を形成し、その焦点でのみ可聴音を発生させ、三次元的な音響分布の生成を可能にした。この技術により、音環境の設計の自由度は飛躍的に高まり、「音声の個人化」のパラダイムが切り開かれるだろう。技術論としては、この作品は高周波の音響ホログラムの最適設計によってそれより低周波の可聴音成分を歪みなく取り出すことができるかというチャレンジであるが、物質を持たない個別音源の配置は、ハードウェアとソフトウェアの垣根を大きく越えて、自由度を上げていくはずだ。

さらに、『DeepHolo』[参考31][図8]では、ホログラムに関してソフトウェアとハードウェアだけでなく、ホログラムと機械学習の間にある関係性を追求している。二次元の画像による機械学習の発展は今我々の社会の中で多くのアプリケーションをもたらしている。ホログラムとして三次元の形状を捉えることで、波源の集まりとして対

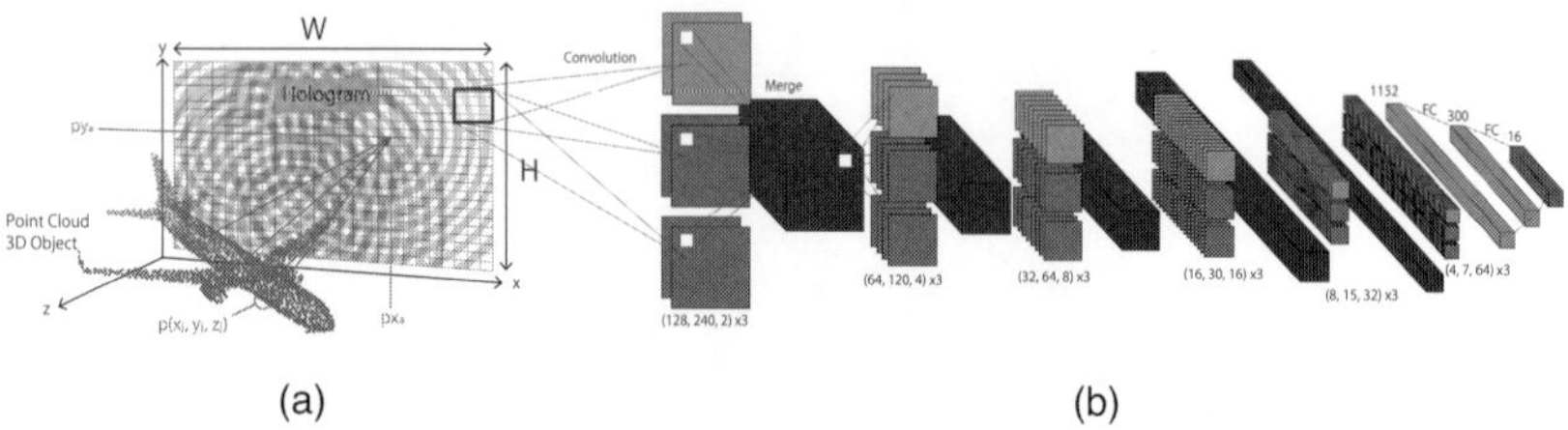

図8—Deep Holo(2017年)引用7

象のモデルを記録するような分野がある。この研究は、ホログラムを二次元の干渉縞と三次元の波源分布の間の行き来を行うツールとして考えることで、空間認識をよりリソースの節約されたニューラルネットワークで検出できるかというチャレンジであり、生物と資源を計算する機械のアナロジーを模索している。

結果、ネットワークのサイズを削減することが可能になり、三次元の認識として新しいジャンルになり得ることがわかった。この視座は、我々の網膜や耳管で行われる波動の量子化と神経系の関係で捉えるとわかりやすい。我々はハードウェアを使って、例えば結像や周波数方向への分解を用いることで、展開した後神経系の末端で周波数成分の量子化を行い、神経系を用いて演算する。我々の神経系は偏微分自動生成フィルタ[注182]として目的変数に対して最適化を行う役割を持ち、デジタルの利点を神経系で駆使している。アナログで稠密な物理世界と、タンパク質式のデジタルコンピュータである人間との間の境界でおこる量子化は、ホログラムを研究することで見えてくる。

三次元世界とはホログラフィ記述を行うような稠密なアナログ世界であるとして、

注182 ディープニューラルネットワークのこと。

光学的には我々の認識している三次元世界はせいぜい網膜上の二枚の映像によって成り立っているので、網膜上への安定的で広視野角な二次元投影を行う光学系を作ることができれば大きな意味を持つ。つまり、三次元世界を直接再現するのではなく、低消費電力で安定的な二次元投影を常に網膜に行い続けることによって視覚的な空間自体の可能性を模索するアプローチである。この『Air Mount Retinal Projection』[参考32]［図9］は、近年着目されているライトフィールド技術やホログラフィ技術ではなく、眼球の影響を小さくし、シンプルな二次元投影技術を開発することによって、直接認知に介入しようという試みだ。認知上はデジタルとアナログの区別がつかなくなるメガネの研究は、今世界各地で熾烈な競争を生んでいる。

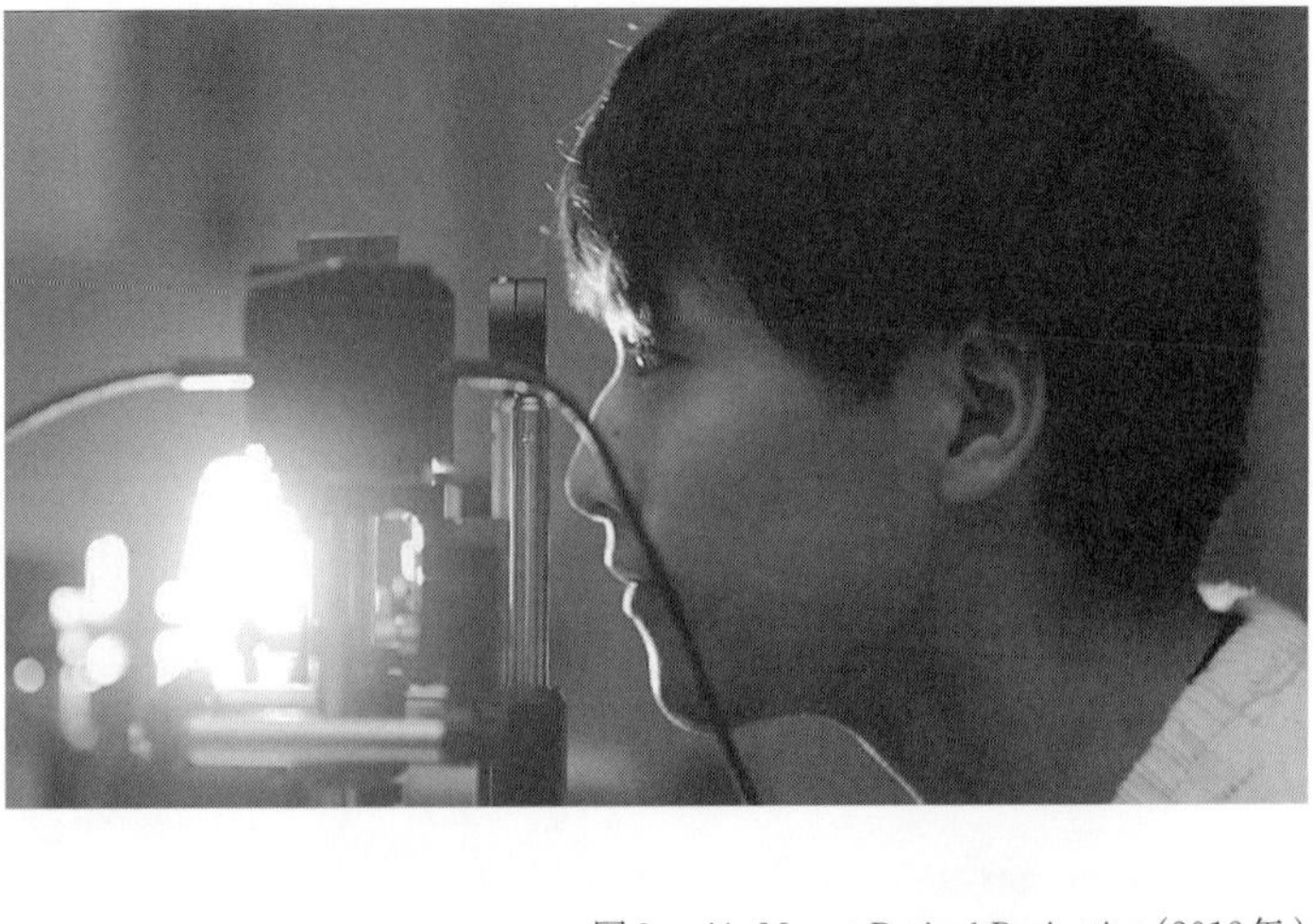

図9—Air Mount Retinal Projection（2018年）

〈物質〉と〈実質〉の境界を突破する

『Leaked Light Field』［図10］は、革や木目、石目、鏡といった、透明材ではない素材に特殊な穴加工を施すことで光を透過させ、もとの材質のままディスプレイ用のマテリアルにする技術だ。素材の穴加工は100μm程度の微小なもので、材質に合わせて、CO2レーザー[注183]やフェムト秒レーザーを用いたり、ドリル加工やケミカルエッチングを施すといった手法を使い分けている。また、素材をソフトウェア的に解析し、光が穴を通過する経路をコンピュータで計算することで、情報の立体表示や、視野角ごとに異なった表示を可能にしている。

これは〈実質〉的な光空間ディスプレイに、テクス

注183 炭酸ガスレーザーのこと。二酸化炭素を媒介に波長10μm付近の赤外線を発振することで、高出力のレーザーが得られる。物体の溶接や切断といった産業用途で使われることが多い。

図10 — Leaked Light Field（2016年）

チャーの異なる〈物質〉性を付与するテクノロジーだ。20世紀のマスプロダクトの根底にあるのは、フォード式の大量生産方式とそれにともなうデザインの画一化だが、この技術によるディスプレイ材質の多様化は、その制約を、マスカスタマイゼーションを超え、高い生産性と両立させながら乗り越えるだろう。

身体とバーチャルリアリティの関係を考える上で、興味深いサンプルになるのが『Transformed Human Presence for Puppetry』［図11］だ。人間存在をパペット（操り人形）に転送する技術で、ユーザーの挙動をパペットに送り、パペットからもユーザーに視覚情報をHMDを通じてフィードバックすることで、パペットはあたかも人間のように振る舞いだす。デジタル処理で作られたパペットの挙動は、ユーザーの身体動作に合わせてモーションを再設計している。

3Dプリンタでファブリケーション[注184]可能なロボティク

図11—Transformed Human Presence for Puppetry（2016年）

スによる、人間の身体性の変換。それはモノと魂の相転移、八百万神や百鬼夜行といった、日本の多神教的なダイバーシティの表出でもある。

素材の形状、運動、構造——それらにまつわる制約から自由になることで、多様なモノの形、つなぎ目のないロボティクスや人工生物が誕生する。

『Coded Skelton』［図12］は、3Dプリンタで製造可能な、可動性のあるオブジェクトを研究するプロジェクトだ。幾何学的に設計されたアクチュエータ（変換機構）を内蔵したオブジェクトは、通電させることでコンピュータ・シミュレーションに沿った動きを展開する。

しなやかな筋肉、精微な歯車、風を切る羽——我々の

注184　デジタルファブリケーション技術。コンピュータと連動した工作機械による加工技術のこと。レーザーカッター、3Dプリンタなどが代表例。工場などの大規模設備以外でも高度な加工処理が行えるようになったことが、メイカーズ・ムーブメント勃興の一因となった。

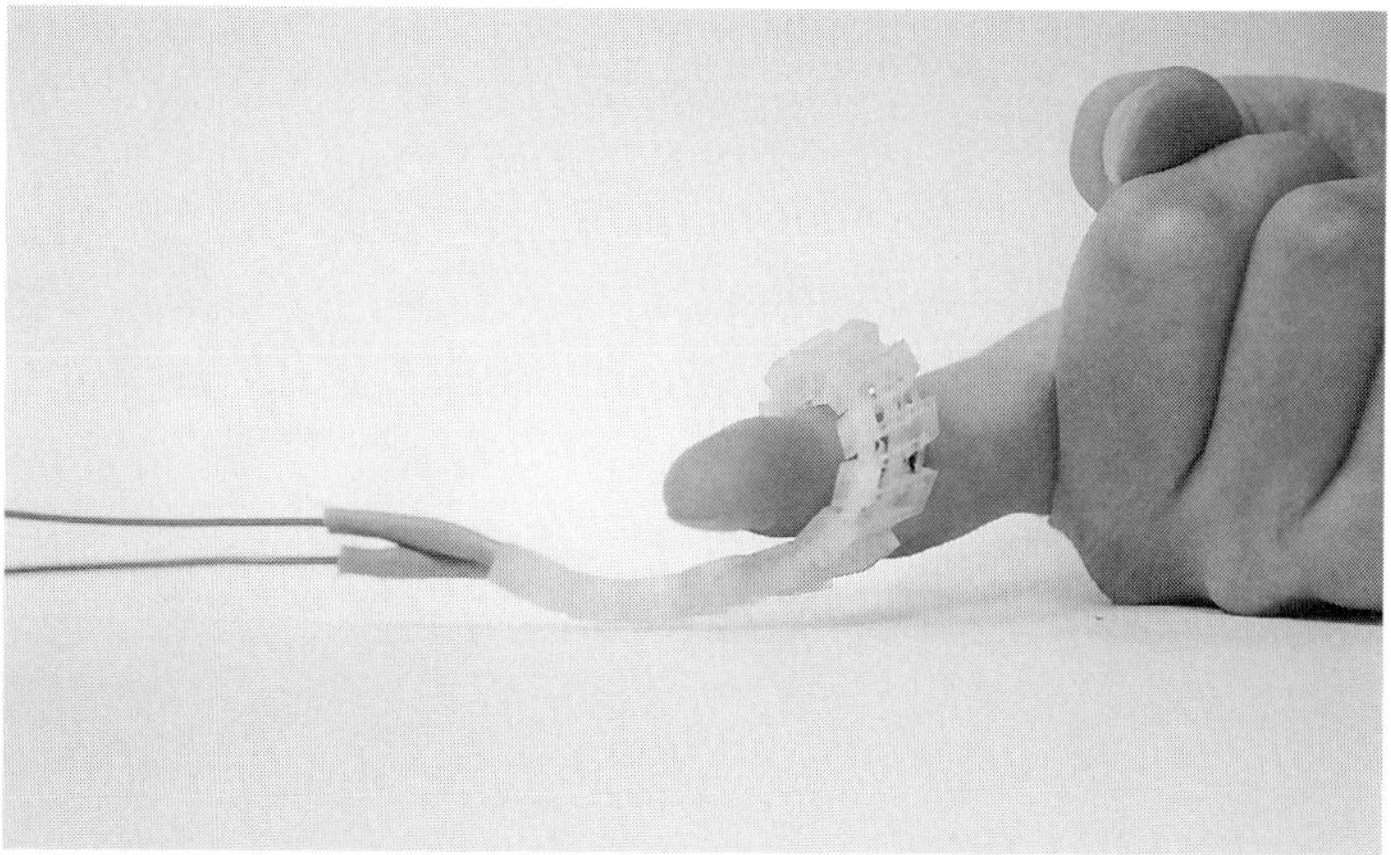

図12—Coded Skelton（2016年）

周囲にある「動き」を内包したマテリアルはどれも美しい。その構造を3Dプリンタで印刷する技術によって、〈実質〉と〈物質〉の関係性はさらに曖昧になっていく。その計算機的なファブリケーションと量産は、エジソン=フォード境界を更新するために、重要な意味を持つだろう。つまり、マスカスタマイゼーションを超えるカスタム性の探求だ。

そのほかにも、浮揚するオブジェクトのデジタルファブリケーションを行う。三次元的なオブジェクトをバランスさせるファブリケーション研究は多く行われてきたが、その到達点として浮揚オブジェクトのバランスを構築する研究が『LeviFab』[参考33]〔図13〕の目的だ。

この研究では、重さや形や剛性などと、物質の持っているパラメータを計算可能にし、動きと機能をデザインし、それらを接続することでデータと物質と波動の関係性を最適化していく。それによって、データの可塑性と

図13—LeviFab(2017年)

物質の解像感の越境を目指している。

〈生命〉と〈機械〉の新しい関係

これまで、〈物質〉と〈実質〉の境界面を主題にしたプロジェクトを紹介してきたが、その一方で、〈人〉と〈機械〉の境界面を調停し、更新する試みも進めている。

17世紀、デカルトは『方法序説』[参考34]の中で、機械との対比によって動物を規定した（動物機械論）[注185]。この発想は〈近代〉の人間観の成立から、ウィーナーの「サイバネティクス」の思想にまでその影響を及ぼしている。「機械としての身体」のコントロールは、どのような思想と概念の拡張を生み出すのだろうか。

注185　デカルトは『方法序説』の第5部で、動物について、その諸器官の働き方において機械的であるとし、その一方で人間は言語能力（理性）によって動物とは明確に区別されるとしている。

図14—Optical Marionette（2016年）

『Optical Marionette』［図14］は、ＨＭＤを用いた光学刺激によって人間を操るプロジェクトだ。ユーザーはカメラを通したリアルタイム映像をＨＭＤによって見ながら歩くが、映像に進路を錯覚させる処理を施すことで、気付かないうちに進行方向を操作される。いわば、現実における「人間のマニピュレーション」を可能にする技術だ。〈人間〉と〈機械〉は、無意識のフィードバックのもと相補的に影響し合い、その過程で両者間の境界線は融解し不可分になる。オーディオビジュアルによる人間身体の操作は、「映像の世紀」のさらに先にある幽体的映像と人間身体の融合する時代を志向している。

『TelewheelChair』［図15］は、機械知能と人間知能を組み合わせた電動車いすを志向するプロジェクトだ。車いすは一世紀以上大きな変化がなく、自分自身で操作する、もしくは介護者が後ろに立って操作する形となっていた。高齢者や身体障碍者が健常者と同じように生活す

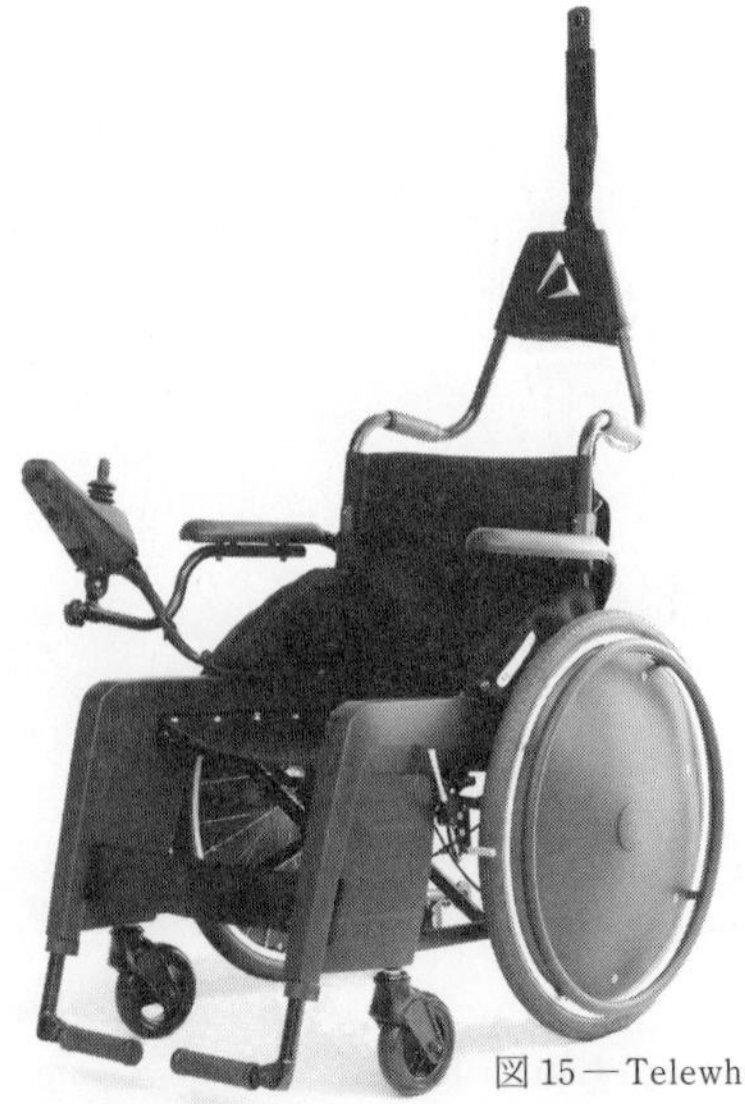

図15—TelewheelChair（2017年）

るためには、技術を用いることで、車いすを人的コストが低い状態で利用できるように変えていかなければいけない。例えば従来は車いすを利用する際に、介護者が付き添う必要があった場合も、このような遠隔技術を用いることで付き添いの必要性を下げることができる。AIとの組み合わせにより、身体障碍者の自立支援や人間の自動搬送など、従来の電動車いすではできなかった身体機能の補完が可能になる。我々はデジタルネイチャーの向こうに、高齢者、身体障碍者と健常者という分類がなく、個々人が多様性を維持しながらも快適に過ごせる社会を目指している。ブロックチェーンでのVR共有[参考35]など、視聴覚と身体拡張の試みは、前述した「JST CREST xDiversityプロジェクト」を含め、多くの社会的働きかけとして行っている。

この『Silk Print』［図16］は、蚕や昆虫自体もデジタルネイチャーのエコシステムの中に含めようという試み

図16 — Silk Print（2017年）

だ。蚕を用いた建築物に関する先行研究としてネリ・オクスマンのシルクパビリオンがあるが[注186]、『Silk Print』は、自由に形状をデザインするために、よりソフトウェアに特化しより困難なスモールスケールの最適計算の手法探求として行っている研究である。

『Human Coded Orchestra』[参考36]［図17］と『Stimulated Percussions』[参考37]［図18］も、「人間の機械的な制御」という発想に基づいたプロジェクトだ。

『Human Coded Orchestra』は、指向性スピーカー[注187]によって「合唱の制御」を実現する技術だ。複数の指向性スピーカーで、特定の人にだけ聴こえるよう調整された音響を、コンピュータで音階の空間分布を制御しながら発信する。人間は、聞こえてきた音を真似て歌うだけでハーモニーが成立する。いわば「コンピュータによって演奏された人間の合唱」だ。

即興で音楽パフォーマンスを行う試みは、これまでも

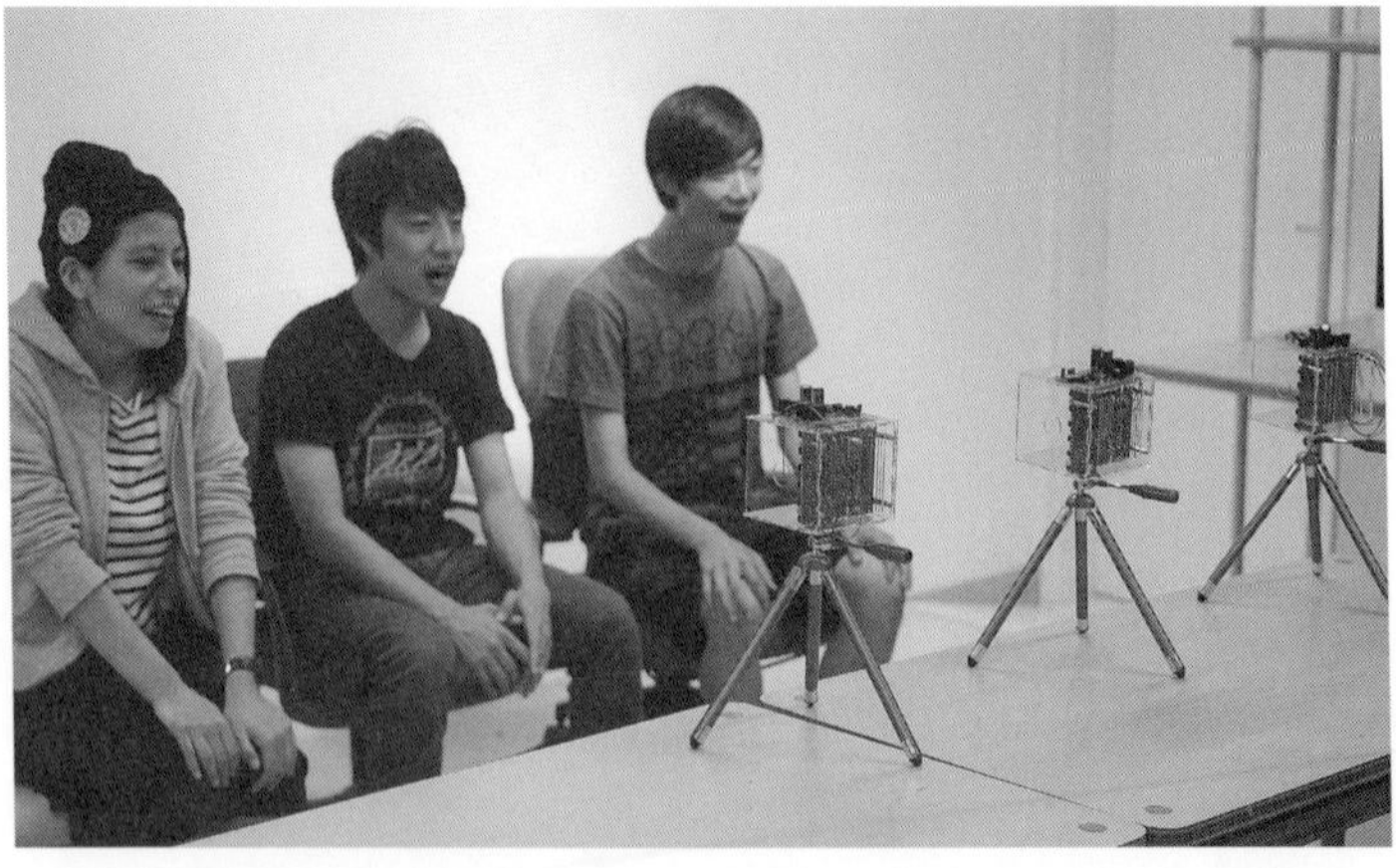

図17—Human Coded Orchestra（2016年）

アートとサイエンス両分野で行われてきたが、この手法では事前の準備なしに複雑な音楽を合唱できる。音楽パフォーマンスの新領域を開拓すると同時に、人間とコンピュータの新しい関係性を象徴する試みといえるだろう。

『Stimulated Percussions』は、筋肉への直接的な電気刺激によって人体を楽器演奏のアクチュエータとする技術だ。プログラムされた電気刺激に腕の筋肉が反応することによって、リズム感がない人でも正確なリズムを取れるし、右手と左手で異なったリズムを同時に刻むといった複雑な演奏も行える。

注186　2013年に建築家のネリ・オックスマンが発表した作品。蚕が絹糸を吐き出す習性をコンピュータ技術によってコントロールすることで、シルク製の巨大なオブジェクトを製作した。

注187　特定の対象領域にのみ音響効果を発現するスピーカー。本論で紹介した『Holographic Whisper』は、さらにその指向性を強めた「超指向性スピーカー」である。

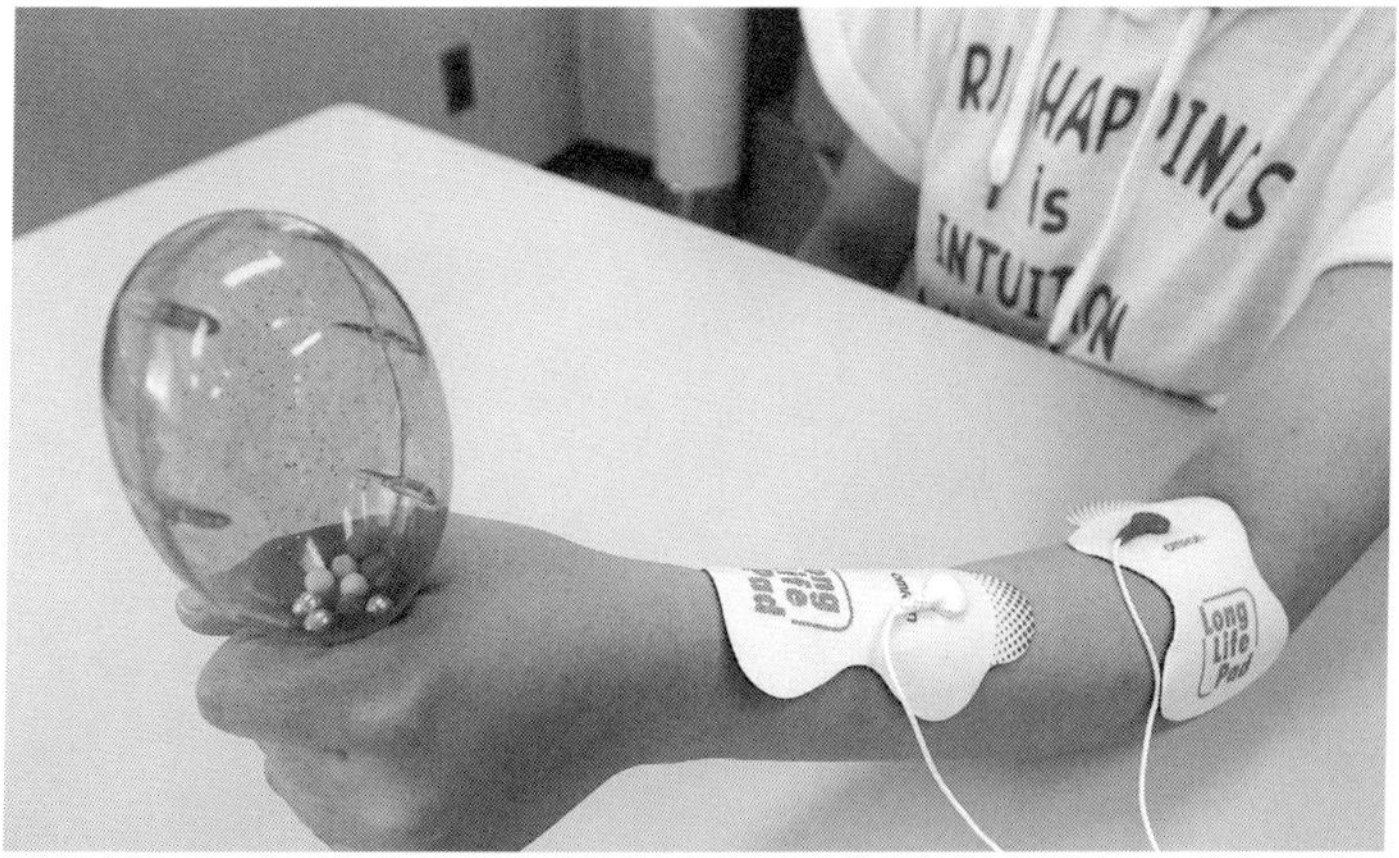

図18 — Stimulated Percussions（2016年）

このほかにも既存の芸術の枠組みとその感覚器の制約にとらわれずに行うプロジェクトにも取り組んでいる。「JST CREST xDiversity プロジェクト」の一部でもある『耳で聴かない音楽会』［図19］は、身体の触覚や視覚を使って音楽を感じようとする試みである。この音楽会でジョン・ケージの『4分33秒』[注188]を演奏したところ、「今の演奏は控えめだが、複雑な響きを感じた」や、「身体を澄まして聴く」など、耳を超えた音楽的な感覚を得ることができた。

〈近代〉は人間にさまざまな画一化を強いたが、精密な反復運動に関しては人間よりも機械の方に分があると僕は考える。エンターテイメントにおいて演者を機械的に制御することで、〈人間〉と〈機械〉の得意領域の分担を可能にし、両者のパフォーマンスを双方向的に拡張し、各々の芸術の持つ感覚的制約による分類の計算機的交換による越境を可能にする。それは、意味論と現像の

図19—耳で聴かない音楽会（2018年4月22日、東京国際フォーラムにて開催）

形式的理解に支配された関係性を問いただし、目のためでない絵画や、耳のためでない音楽を可能にすることで、新たな表現可能性を拓いていくはずだ。

不可視のデータ、そして重力からの解放へ

これまでの作品では、イメージと物質の間にある表現可能性を探求し続けてきた。また、人と機械の間の調停を考えながら、さまざまなものを作ってきた。

その中で僕は、非言語的であり、原理的な感動をもたらす日本的な美のテーマである幽玄という感覚と、メディア芸術の中での自分のコンテクストに共通点を見出している。それは、朧《おぼろ》げで質量のないイメージ映像的なものを「幽」として、解像度の高い物質的な表現を「玄」として、メディア装置を発明することによる原理的な表現を幽玄の現代的解釈としてとらえることだ。あるいは、解像度に関する議論は「山紫水明」[注189]などの言葉でも表現可能であり、計算機の相互的変換性に関する議論は、「事事

注188 音楽家のジョン・ケージが1952年に発表した楽曲。楽譜では全楽章にわたって休止が指示され、演奏者は4分33秒の間、何もせず、ひたすら無音状態が続くという、前衛音楽の極北に位置付けられる作品となっている。

無碍」などの仏教的で古典的なコンテクストとして解決可能である。これはEnd to Endという言葉として、実際の計算機研究の文脈の中でも本著に表出している。

作家としての僕は、幽玄や山紫水明、侘寂という言葉に見られるような非言語的感覚から、ビジュアルモチーフとしての日本的な古典コンテクストを漂白し、日本古来の表現を継承することなく、それでいて日本的であるものを目指そうとしている。

映像と物質、ラテン語でいえば、"Imago et Materia"[注190]。質量なく移ろう五感的な「イメージ」と解像度の奥深さを持つ「物質」について考え続け、シャボン玉やプラズマや目に見えない音響場など、壊れやすく消えやすいものを用いてきた自身の制作活動を振り返ると、工業化社会によって技術が一般化し、大衆化したメディアとサブカルチャーにより希薄化しつつも、未だ残っている幽玄や、古典美、仏教哲学などへの憧れを見出すことができる。それは、現代の日本的美的感覚と身体性による新たな非言語的表現のテクノロジーによる表出なのかもしれない。ここにメディアアートと工学、芸術と科学文脈による、既存のフレームワークの突破を試みているのである。

例えば、ほかの事例として僕がヨウジヤマモト[注191]を好きなのは、そこに現れる侘びた性質[注192]や経年劣化によって味が出て、美しくなる瞬間を求める寂びた哲学の表出にある。

僕は「侘然・侘寂」という言葉を、英語では“the Beauty found in the Stabilization Process of the Unstableness between Complexity and Simplicity through the iterations towards the Nature.”と訳すことにしている。この『DeepWear』[参考38]［図20］は、敵対的ネットワークを用いてヨウジヤマモトの画像を生成する

注189 低解像度と高解像度の美。例えば、日に照らされた山々が紫色に輝き、清らかに流れる川面が光るような自然の美しさを表す。江戸時代の儒学者・頼山陽の造語で、京都の鴨川沿いの展望に感銘を受けた頼山陽は、そこに書院を建て山紫水明処と名付けた。

注190 ラテン語で「イメージと物質」の意味。このキーワードを主題にした展覧会を、2017年に六本木ART&SCIENCE GALLERY LAB AXIOMで開催した。

注191 ファッションデザイナーの山本耀司が展開するブランド名。山本は日本の服飾文化を代表するデザイナーの一人で、フランスの芸術文化勲章(シュバリエ賞とコマンドゥール賞)、日本の紫綬褒章などの受賞歴がある。

注192 粗野で不揃いな退廃を有した性質。および、ほころびによって出てくる美のこと。

図20—DeepWear（2017年）

DeepWearを構築することで、ヨウジヤマモト自身の寂びた性質を侘びた表現で描き出し、それをもとに実際の衣服をパタンナーと共に制作することで、人と機械の協調創作を行うプロジェクトだ。ここでできた表現の寂びはその作家の本質を機械的な繰り返しによって純化し、汎化するプロセスである。

続いて、侘びたプロセスの中で行っていた過去のプロジェクトを紹介したい。在りし日の音、物質的に存在しない身体、人間存在の痕跡——我々の記憶の中にある、感じられないけれど確かにあるもの、それは「不可視のデータ」だったのかもしれない。

『幽体の囁き』[参考39]［図21］は、『Holographic Whisper』などの超指向性スピーカーによる空間音響技術で環境音を再生成し、空間に気配感を蘇らせるプロジェクトだ。２０１６年の茨城県北芸術祭では、空間インスタレーションとして、廃校の中にある空気感と作品をなじま

図21—幽体の囁き(2016年)

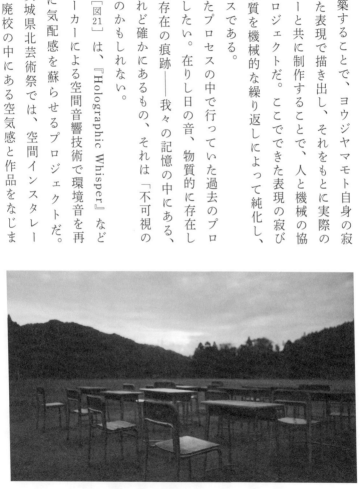

せ、校庭に「教室の気配」を作り上げた。廃校の机に刻まれた侘と寂は、「死ね」「アイアイ傘」などの姿で表出している。そこに、空気全体を振動させる超音波ビームによる音響再生環境を作り出し、近代の終焉たる撤退的廃校の空気の中に幽体を作った。また、別バージョンの作品『空間のせせらぎ』は、建築家の妹島和世氏とのコラボレーションで、物質的には存在しない川の気配を、音響再現で作り出している。

オーディオビジュアルを個人の知覚から切り離して、空間に存在させることで、空間の時空間特性を変化させ、データの幽体的な存在感を生み出す。

幽体とは、人間が情報に変換され、時間や空間の障壁を超えて存在するようになる現象のアナロジーだ。オーディオビジュアルの三次元化によって、情報化された人間に存在感を与え、物質・実質・人・機械の垣根を跳躍する。それは〈物質〉的な人類を超越した〈実質〉的な「デジタルヒューマン」が、幽体のように都市のあちこちを飛び回るような社会を実現するだろう。

廃校という近代社会の中での撤退的な侘びと、その崩壊していく寂びの中に作品を置く。机の上には中学生が長年かけて彫り込んだ落書きがある。空気が直接鳴るから、雰囲気を感じる作品だ。ここにある寂びは、自然の中に融合される。

一休宗純[注193]が悟ったようにカラスの姿は見えぬとも、そこにカラスの声はするのである。人の姿は見えぬとも、そこに人の根源はインプリントされている。オーディオビジュアルのスイッチを一度アクティブにしてやれば、人の気配はよみがえりうるのだ。

浮遊する銀色の球体が、鏡面仕上げのサークルを周遊する作品が『Levitrope』［図22］だ。この名称は、Levitation（浮遊）とTrope（回転）を合体させた造語で、ゾートロープ[注194]やシネマトグラフといった、19世紀の回転系メディア装置へのオマージュでもある。そしてその銀鏡は、風景の叙情的切り取りを行う。
「浮遊」は神秘的な現象だ。重力下で育まれた我々にとって、それは自然との決別であると同時に、身体性を強烈に想起させる。この作品では重力下の身体と、そこから解き放たれた浮揚物の対比が、再帰的に我々自身の身体を意識させている。

デジタルネイチャーでは、物理的事象と身体性のリン

図22 — Levitrope（2017年）

クが外れ、あらゆるものが重力から自由になる。この「浮揚」による身体性への回帰を、都市の風景の中に持ち込んだインスタレーションは、「幽体的な重力下」という、社会の中に出現した〈新しい自然〉を主題としている。

エジソンの時代、人類は回転するイメージによって、自然から〈実質〉を切り出すことに成功した。世界の〈時間〉と〈空間〉をコマに切り取ることで、対象を重力から解き放ったのだ。その表象は電信と融合することで、距離の壁を超越した。半世紀後、人類が地球の重力からの解放——アポロによる月面着陸を目にしたのも、この〈映像〉を介してのことだった。

我々はディスプレイを通じて、直接目にしていないものを〈現実〉と信じ、同時に、コンピュータグラフィクスや特撮を〈虚構〉とみなす。映像メディアには、このような排反的なリアリティが常に付いて回る。

注193 室町時代の仏教僧。高僧でありながら世俗的な価値を尊び、戒律や風習に囚われない言行によって、当時の民衆に広く愛された。その出自には多くの俗説があるほか、破天荒なエピソードも数多く後世に伝えられ、説話や伝記、物語にたびたび取り上げられている。

注194 回転のぞき絵。内部に連続した絵が描かれた円筒を高速回転させ、円柱に刻まれたスリットから内部を覗くと、あたかも絵が動いているように見える。1834年ウィリアム・ジョージ・ホーナーが発明した。

それに対し、デジタルネイチャーでは、〈実質〉と〈物質〉の区別が超越され、我々の身体とつながるすべての現象が、唯一の〈現実〉として受容される。計算機によるヒューマンインターフェースの外部で、〈虚構〉と〈現実〉が溶け合う世界。そこではあらゆる存在が、魔術的な振る舞いをするようになるだろう。それは事事無碍として包括され、自然を構築し、寂びたプロセスの中に美を見出す。

風景と計算機自然

我々は風景から物質性を失ってしまう。風景そのものの構成要素は物質であるにもかかわらず、透明な空気と透明な目のレンズを経て網膜に光が結像する頃には、風景そのものは二次元のイメージになってしまう。立体感のない遠景は、その象徴だ。

物質性と映像性の間にアナログの光学装置を挟み込み、運動を持たせる。物質を伴う運動は我々の身体性を喚起し、物質性を感じさせる。イメージの象徴としての遠景を映像的に変形させるアナログな物質装置は、装置を通じて生ずるイメージとそれが物質である矛盾の間に、イメージと物質を、そして、人為と自然の関係性を描き出している。

これは『Morpho Scenery』［図23］のステイトメントである。揺れるフルネルレンズによって視覚的な水面を都市の中に作り出す作品だ。網膜で作られた二次元の世界、そして、ホログラムで満ちた三次元の世界、それが内包され円環を作り、身体とともにあり、また、それ自体も世界に内包される。フレームで切り取られた世界ではなく、フレームもともに、運動を伴い、そこに存在することで、フレームの外を志向するメディアは作られるのかもしれない。

最後に『波の形、反射、海と空の点描』［図24］という作品のステイトメントを紹介しよう。

図23 — Morpho Scenery（2018年） 撮影：堀内恵輔

光の波、水の波、海の青、空の青。

日光のレイリー散乱と海の散乱による青。

海中から空を見あげる。そのとき、視覚的なあらゆる波は結合する。

鯖。青魚の保護色は波と波の境界面に見える、視覚的擬態であり、海と太陽を自然界が光学的に模倣したものだ。

その自然の寂びたプロセスを解像度の高い入力と出力を用いて描き出す。

墨の和紙の上に張られた銀泊のカンバスは、侘と寂によって描き出された、日本の自然の人為的到達点の一つだ。ここに鯖の光学的擬態を描く。

この解像感は今まで人類に到達できなかった美しさを標榜し、人為と水棲生物、二つの自然のプロセスの中に計算機によって超解像さ

図24—波の形、反射、海と空の点描(2018年)

れた自然を描き出す。波の形を反射する空と海の点描。

ＤＮＡと世代交代によって引き継ぎ、描き出した、インプリントされた太陽と海の波の作る風景を鯖の背の模様に見た。墨染めの和紙の上に銀を張り、高精細な印刷によって、その寂びたプロセスを描き出した。これはステートオブジアートの印刷と撮像、経年劣化の侘びたプロセス、そして風景のデジタルプロセスによる転写、生物と計算機の結節点を見出した作品である。ここに僕は、波と知能と物質と風景による計算機自然を見る。

生物と風景、人と環境、テクノロジーと人為（アート）のもたらすプロセスの中に、デジタルネイチャーが表出している。それは、技術論と社会と作品を通貫しながら、進化を続けるプロセスだ。

あとがき　汎化と遺伝子と情報

風景と借景と寂びた計算機とホログラムと物質と知能化を考えているときにTDKとのコラボレーションで制作した『Silver Floats』［図25］というアート作品のステイトメントを書く機会があった。以下に引用しよう。

TDKとテクノロジーと、そして自分の専門性であるメディアアートについて考えたとき、いつか見たアンディウォーホル[注195]のTDKのCMのことを思い出した。カラーバーの前のアンディウォーホル。時代性。影や過去をイメージさせる白黒映像から、生命感を持つカラー映像への変化。カラーを表現できる映像記憶媒体について彼は何を考えたのだろうか。そうやっていくつかの彼の作品を見ているうちに、彼の『Silver Clouds』というメディア性の高い彫刻作品に行き着いた。当時はアルミ風船にヘリウムを注ぐことでしか実現できなかった〈鏡面仕上げのオブジェクト〉が浮揚する風景が、もし今の時代性をもった〈テクノロジーによる原理〉とともに表現されたとき、それはどういった意味や文脈を持つのだろうか。

メディアの機能の一つに、光景を風景に変換する機能があると思う。メディア装置はな

注195 アメリカの芸術家。アメリカの大衆社会に流布するイメージを用いたポップアートを数多く発表。20世紀後半のアート界に巨大な足跡を残した。1983年にTDKが発売したビデオテープのテレビCMに出演している。

図25 — Silver Floats（2018年）

んらかの〈フレームの設定〉を行う。メディアの規定するフレームによって、コンテンツは切り出され視点と意味と文脈を持つ。車窓の映像は車窓というフレームの映像であり、小説が描き出す物語は言葉でフレームされた彫刻である。メディアによってフレーミングされたときから光景は風景に変わり、鑑賞可能な存在になる。

落合陽一はメディアアーティストとして、メディアそれ自体を創造することによる〈透明な表現〉を探している。コンテンツ性のない、コンテンツで語ることのない〈フレームの変換機能自体〉を作品にするための思考を続けている。そのアプローチはこれまで我々の社会の中で、光景を風景に変換して来たビデオテープ、音楽を一つのセットリストにまとめた光学的記録媒体、ひとつなぎのカセットテープ、そしてインターネットに開かれたコンピューティングデバイス それらに代表されるような〈メディア装置それ自体の存在〉によって、それが作品となる風景を成立させることだ。

波と形と知能。その構成要素が形成するネットワークの中に落合陽一は思考の軸足を置いている。ときに芸術を、ときに工学を、ときに産業を考えながら社会とメディア装置の接点を探し、探求し、観察している。我々と外界が作るエコシステム、自然の中に、波が生まれる。波が伝搬する。形は波を受ける。形は波を知能に伝える。知能は波を経て、形を動かす。それが波を生む。光景を知能が風景に変換する。そして、その相互作用でまた光景が生まれる。波動と物質と知能。その連関は美しい。分断されることのない自然、世界は巨大な、そして一つの、自然なホログラム演算装置[注196]だ。

このプロジェクトを通じて見たいくつもの風景の中で、多様な人と多様

注196　ホログラムでは、干渉性を持った波長の光（コヒーレント光）の重複で生まれる干渉縞によって物体を立体的に記録する。この原理は自然に偏在する、さまざまな波動と物質の関係にも応用しうるはずだ。物質と波動の関係は情報量的に稠密であり、モノ同士は連関し何らかの実装を生む。その連関は、荘周が「物化」という言葉で表現したように、情報同士の関係をホログラムとして考えることで、大きなひとくくりの演算を行うことができる。

な形がさまざまな風景を作ることを見てきた。三次元的な浮揚を可能にする磁性技術とデジタルファブリケーション技術の接続は、人のイマジネーションを二次元的な映像メディア世界から三次元的に開きうる。我々は、イマジネーションの上では重力から自由だが、いざ重力から自由になってみると我々が2・5次元の〈表面〉に重力によって貼り付けられているかがよくわかる。その中で三次元的な未来をイメージし、未来を魅了するようなケーススタディを求め、各地でプロジェクトを行ってきた。いくつもの光景が、いくつもの風景を結んできた。

『Silver Floats』は波源を形にした作品だ。定まらない波が鏡を作り、鏡は風景を歪めて波動に変える。浮揚はその表面にピュアな光景の転写を作り出し、物質的な振る舞いは光景を風景に変える。ボーダーを持つカラーバーは歪み、自然は変換され、風景は無機質な波源に変換される。音なく漂う銀の有機形状は、常にその形を、そしてその風景変換機能を三次元空間に示し続ける。僕は波が好きだ。物質が好きだ。だから映像と物質の間にある関係性を探し続けている。ここにある波を形にした物質的な鏡は、物質でありながら重力に逆らい、形でありながら反射によってそれ自体の形から解放される。運動は風景の変換装置の一部となる。それらを支えるのは計算機の最適化計算と、ファブリケーション技術、磁性技術の統合だ。

風景を変換する。然びたプロセスを使って侘を表現する。[注197] 無骨でありながら、イメージを結ばず、イメージでありながら物質であり、物質でありながらテクスチャーを持たない。波のように自由で、重力から解放された形。そのインスタレーション空間が見せる視座で、今、この鏡の彫刻を通じて、僕は風景に繋がっている。

風景の中で、波動と物質を考えるのが好きだ。イルカに惹かれるのもそういうところなのかもしれない。近頃は視覚の持つ言語的性質に引っ張られることを防ぐためにイルカの写真を波と一緒に白黒で撮る習慣がついた。ここに波が、『Silver Floats』

注197　風雨による侵蝕、経年劣化、イテレーション（反復処理）など、時間経過や試行回数を繰り返すことによって生じる不揃いな性質。およびそれによる美。

とともに置かれれば、なんとなく波で世界を理解するということがわかるだろう。波とともにあり、侘びた傷を持つ寂びたインターネットアニマルと銀色の浮揚体。その再帰的、そして視覚的侘寂の中に風景が見える。

僕は、この本が〈計算機自然〉のビジョンの共有に役に立つことを祈っている。まだ何も知らない中高生のときの僕の視野は狭かった。なぜ明治翻訳語がこんなにいびつなのかを気にとめることはなかったし、なぜ銀行にお金を預けることがこの国で推奨され始めたのかも知らなければ、著作者人格権[注198]という言葉も知らなかった。だから『千と千尋の神隠し』[注199]で湯婆婆が、な

図26 — イルカ（2018年、著者撮影）

ぜ千尋の名前を奪うのかを考えてみたことがなかったし、「虐殺されたモーツァルト」[注200]という言葉の意味を反芻することもなかった。自分の視野が今でも狭いことには変わりがないが、狭いことを知っているからこそ、常に調べようとしている。

この問題意識を考えるきっかけとして、ロバート・キンセルの著書『YouTube革命 メディアを変える挑戦者たち』に寄せた「解説」のテキストを、以下に再構成して引用しよう。[参考40]

2015年の東京国際映画祭のトークセッションでの富野由悠季監督と

注198 著作物に発生する著作権のひとつ。名誉や功績といった著作者本人の人格に関わる権利を保護するためのもので、公表権、氏名表示権、同一性保持権を含む。

注199 2001年に劇場公開された宮崎駿監督のアニメ映画作品。神々の世界へと迷いこんだ10歳の少女・千尋が、湯屋で働きながら成長する物語。湯婆婆は湯屋を経営する老魔女で、千尋の名前を奪い「千」という別の名を与え、湯屋で下働きをさせる。

注200 サン・テグジュペリの著書『人間の土地』の中の言葉。筆者は、ある貧しい夫婦の間で眠る子供の顔にモーツァルトの音楽を思わせる美しい輝きを見るが、同時にそれが遠からず失われることを予感する。そして、この子供に限らず、人間は誰もがそれぞれの内面に「虐殺されたモーツァルト」を持っているとする。

の対談[注201]で、〈映像の世紀は終わるのか〉というテーマで議論が進んだが、むしろ映像という表現媒体は強まり、〈その中に現実を内包しうるような〉コンピュータ処理による表現拡張〉の恩恵を得、また〈その映像装置そのものは社会的に実装されうる〉という議論を展開したことが懐かしい。多くの事例がインターネットの上に生まれ、YouTubeに動画が投稿され、そしてVチューバーが生まれるように、ほぼ映像の上では人間は超克されつつある。

魔術化された社会と技術のエコシステムの中で、人はものの仕組みに無頓着になっていく。ディープラーニングがなぜ正しい答えを出せるのかは、ガウシアンプロセスの中でヘッセテンソル計算をある程度自動化する偏微分法の一種であり、ニューラルネットワークに深い階層性を持たせることで統計的な性質をより強めたものであることが指摘されている[参考41]。しかし、その結果得られる生成モデルが数式のような厳密性に基づく目的変数についての判定プロセス（SVMや決定木など）と同様に動作するのかを証明することは未だ難しく議論の種になっている。ソフトウェア的知能化のみならず、物理世界に実装されたハードウェアにしても、高集積化されたスマートフォンの動作機序を認識している層は限られている。また、五感に作用する、より直感的な振る舞いであると考えられるような音と光、例えば透過型ＡＲゴーグル[注202]にしても、そこに用いられるようなＤＯＥやＨＯＥを含む光学回路の仕組み[注203]を理解して、その上で表示されるコンテンツを認識している人間は限られている。

　しかしながら、工学的実装によって社会にプロダクトが現れることは理屈を抜きにした力を持つ。言語で説明するよりもはるかに早く、誰かにコンセプトを伝えることができる。それも市場という自然に乗りやすい。理由や仕組みをわからないままにしても人は利便性を求め、それを生活の中

注201　第28回東京国際映画祭のトークショー（２０１５年）では、『機動戦士ガンダム』などで知られるアニメーション監督・富野由悠季氏と対談を行った。

注202　現実空間を透過し、その中に仮想的なオブジェクトを投影するタイプのＨＭＤのこと。

注203　ＤＯＥ（回折光学素子）やＨＯＥ（ホログラフィック光学素子）は、微細構造によって光の特定の波長のみを選択的に回折させ照射を制御する技術。メタマテリアル技術と組み合わせた運用が進められ、ＨＭＤの開発などに寄与している。

に、人のエコシステムの中に組み込んでいく。それによって生じる社会変容は、二次元イメージ中心のマスメディア的なコミュニケーションからその体験の一元性が解き放たれて、フィードバックループを形成することによる三次元の実世界体験への行動変容を促す。[参考42]そういったことをテーマに、2015年末に刊行した前著『魔法の世紀』以来、さまざまな論考を行ってきた。その3年がかりの思索は本書[注204]にまとめられている。

近年の社会の魔術化は、インターネット上にも実例が多く語られているように、人が動かす社会システムにも大きな影響をもたらす。例えば、2016年のアメリカ大統領選のフェイクニュース事案に伴った、近年のSNSに関する調査結果[参考43]によれば、人は真実よりもデマの方を好んでシェアする傾向にあるし、本書の指摘がそれを際立たせているように、現代ではSNS上のコミュニティや分断されたコミュニティの中で一人一人が好んだ世界を好んだように生きている。このような感覚を〈貧者のVR〉[注205]と呼ぼう。一人一人はそれが現実だと思って生きてはいるものの、タイムラインやコミュニティが見せる現実は、事実とはやや偏った異なる現実だというニュアンスを込めて言葉にしたものだ。〈貧者のVR〉という言葉はややネガティブなニュアンスを含む言葉である。リアリティに対して、分断されたコミュニティや、もっと小規模の個人集団が浸れるような〈第二、第三のリアリティ〉を設定しうる社会変化のことを指している。例えば、僕たちはその変化によって生み出される既存の倫理を超越した集団や特定クラスタに対するヘイトスピーチ、あるいはソーシャルネット上の誹謗中傷などを目の当たりにすることがあるが、それらのクラスタが共有している感覚は物事の捉え方についての視野狭窄であるという意味での〈貧者〉であり、不寛容と理解の狭さを集団的つながりの中で自己肯定することで、彼ら／彼女らは〈反知性的イズム〉[注206]を信じることができる。〈貧者のVR〉とはこうした有様を批判した言葉だ。

注204　ここでは本書『デジタルネイチャー』を指す。

注205　昨今のブームが収束した後、VRはプラットフォーム化し、人々のコンプレックスや社会承認欲求を満たす技術として普及するだろう。超人化の理想は理想、現実は現実である。満たされない現実を抜け出して幻想に生きられる社会、人間の数だけ幸福がある世界が訪れるだろう。

注206　反知性主義。本来はリチャード・ホフスタッターが『アメリカの反知性主義』で論じた、アメリカに伝統的に伏在する反権威的な思想のことだが、近年では、政治的行動において論理よりも感情を優先させる傾向全般を指すようになっている。

それとはうってかわって、既存マスメディアと古来の意味でのアーティスト（個人）の姿が見せる実例のいくつかははるかにポジティブな印象を作り出すことに成功している。マスメディアが持っている中央集権的なコンテンツの意思決定機構の不完全性と、つまり個人の映像発信によって生まれる偶発的かつ、閲覧数の多さに磨かれることによる大衆のフィルタリングがかかった良質な〈金銭をかけて作り上げる有り体の平均的な良質でない〉〈尖ったコンテンツ〉について考えることは非常に有益である。映像コンテンツの個人化と民主化が生み出す創発的サイクル―認知イメージの相互発信が可能になった我々の社会は、海洋生物のように互いに呼応し、そして言葉以外の相互発信的な表現系を技術的発展によって持ち始めているという兆しがある。このポジティブさは、その社会実験的側面として寛容に受け入れられるべきであるし、既存制度との不適合さから頭ごなしに否定されるものであるべきでもない。そしてそういった生き方をする若いデジタルネイティブたちはときに奨励されるべきものであり、間違っても冷笑されるべきものであってはならないはずだ。人はテクノロジーを進化させ、それに適応することで他の生物にはない高速な進化を遂げてきた種であることを忘れてはならない。

二次元メディアから三次元メディアへの越境を指向するメディアアーティストの立場からこの変化を見ると、現在の移行期の面白い性質が見えてくる。それは身体性に基づいて三次元的な展開をもたらす二次元映像出入力装置としてのスマートフォンの、そして映像配信チャンネルとしてのソフトウェアクラウド「YouTube」の可能性である。我々はデジタルネイチャーへ向から２０１８年を生きている。この世界はデジタルと非デジタルの境界線が未だシームレスでもボーダレスでもない。その結合のインフラ的発展が過渡期である世界を、僕たちは、未だ不完全なディスプレイとセンサーと充分な速度を持たない処理系・電信系を携えて生きている段階にある。ハードウェアは不完全で、コンテンツを規定するメディアの〈フレームワーク〉は充分であるとはいえないが、このソフトウェア的側面、〈様式〉は今後にも残っていくであろう。そのソフト的な側面〈様式〉とは、大規模共有のための例えばテレビを代表とするマスメディアのような大規模発信装置と、プロトタイプや解像度向上のためのリアリティ指向の小規模グループの敵対的生成関係、その間の行き来によって形成される進化ゲーム的なメソッドだ。

敵対的生成ネットワークは近年の深層学習の中でも多くテーマにされている手法である。オートエンコーダーを用いた判定と生成の間の関係性により新しいコンテンツを生成していく手法だ。そして、今までオートエンコーダーのもたらす次元の縮小機能とコンテンツの生成との関係が何を意味するのかという問いに対しては多くの専門家が挑んできた。次元縮小とその後に続く復元は、我々の言語ベースのコミュニケーションにとって〈誤解〉や〈思考のジャンプ〉に似ている。稠密なパラメータ空間による完備な情報復元を目指すことなく、要素化と学習によって、違った結果の生成を目指すものだ。進化ゲーム理論は多くの場合生物種の統計力学的性質について言及するものが多かったが、今インターネット上に見られるさまざまな実例は、そのメディア的性質、テレビジョンのようなマスコミュニケーションとYouTubeのような個別コミュニケーションの相互やりとりによる新しいコンテンツの策定方法を探っている。

つまり、我々が今テレビマスメディアと個人発信メディアとの間で観測している〈速度の違い〉や〈プロセスの違い〉、〈コンテンツ性の違い〉は、個人と集団、中央集権と非中央集権、一人称と三人称の変換のコストが低下された環境への移行の過渡期であることの象徴であり、〈敵対的生成〉がメディアにもたらすフィードバックの片鱗だ。これから我々がその両軸の相互発展について考えるには幾ばくかのイテレーションが要る。しかし、ここから言えるのは片側が片側を吸収するのではなく、〈部分と全体のフィードバックループ〉とコミュニケーション速度の上昇によって、入力パラメータの異なった〈いくつものオルタナティブ〉が生成されるのだということだ。〈マス—個人系〉や〈個人—個人系〉〈個人—マス系〉〈マス—マス系〉だけでなく、〈マス—個人—個人—マス系〉や〈マス—個人—マス—個人系〉などの多くの複合的亜種がこれから生まれていくだろう。〈映像3・0〉もしくは〈映像のシンギュラリティ〉と呼ぶべきこの現象は、一方向的で中央集権的な初期状態からはなかなか生じ得ない。民主化し、双方向化し、イテレーションが高速化し、それに纏《まつ》わるコストがテクノロジーの革新によって低下し、インターフェースが簡略化し、人間知能と機械知能のフィードバックループがいくつかの局所最適を生む頃には生じ始めてくる。その発端を垣間見ることは多くの、――僕を含めたメディアとともに実践を生きる人間が――、視座を獲得しながら実践を作り出していく過程において有益であり、多くの知的好奇心と知的興奮を生むだろう。この直感とロジックの間にある快感を言葉のみで語り得ない抑圧がまた現象の――映像への――モチベーションに展開される。語り終えた先にあるのは手を動かすフェーズだ。

つまり、これからは実践者としての価値が今後、思想とともに重要になるだろう。考えながら手を動かし、思想を語り、波を作る必要がある。そこに必要なのは日々毎に、集中力の高い、永い現場を、高速で切り替えて、積み重ねる鍛錬だ。瞬間の価値は、デジタルの永続性に切り取られ、補償される。生も、死も、一瞬一瞬が一つのオプションである。

僕がメディアアーティストとして最初のキャリアを歩もうと思ったきっかけは、大学時代の授業で、ある講演を聞いたからだ。そんな何気ない偶発性が物語を始めるきっかけを作る。自分には見えていない視野を持つ他人から何か言われることは、思いの外、人生の選択に影響をもたらすかもしれない。

中高生の頃はなんとなく学歴と年収とクリエイティビティで物事を判断していた。しかし、テクノロジーを研究し始めてから、論文を書かず研究もせず卒業していく東京大学の修士学生より、国際会議で発表する地方大学の学部生の方がはるかに国際的に通用することに気づいたし、お金を集める側になってから、預金がたくさんあることよりも、いつでも借金できる能力の方が重要なことに気づいた。アートのもつ複雑性を考え続けて生きてきて、文脈と原理の両方を満たす複雑性が、やがて言語や人間性のパラダイムを超えた世界観を作り出すのではないかと夢を見ている。そして、胸を希望に高鳴らせている。

宇宙が生まれたときに発せられた熱は、コードによるガバナンスによって我々の属する現実を作り出した。前世紀に〈映像〉と〈物質〉を切り離すことによって生まれた、我々のパースペクティブによる「自然」は、環境と身体に計算能力を伴い、単なる共有的マスメディアから「新たな自然」を作りうる状態になっている。

神経系は汎化をもたらし、遺伝子は進化を促す。そのプロセスは生物と機械の二つのデジタルプロセスによって、今もこの地上で進行中だ。そして、それをドライブする熱は恒星から、さらに太古に遡ればビッグバンからやってきていると考えられている。熱はやがて消える。宇宙は熱的に停止する。しかし、情報によって記述される非物理的現象、つまり〈コード〉は永遠だ。計算機自然において物理法則それ自体がコードであり、制約条件であり、情報の外側の情報によるフレームだ。我々が今、構築し始めた「新しい自然」は、熱と情報を保ちながらその関係性の中に産声をあげたばかりだ。

ブロックチェーンも、ディープラーニングも、空間ホログラフィも、核融合も、クリーンエナジーも、高解像度の生体ファブリケーションも、まだ成熟期にはない。この世界はまだ、どこまでも未発達なテクノロジーによって支えられている。〈人間〉という現象を切り離した言語的メソッドも、〈社会〉というテクノロジーおよびテクニウムによる相補的エコシステムも、あらゆる〈近代的・政治〉というガバナンスも、たかだか数百年の歴史を持つに過ぎない。

敵対性、相補性に見られる〈相転移〉情熱が計算機自然を構築する。ゼロサムゲームの向こうへ行こうとする試みだ。我々は、「ゲート」や「つなぎ目」のない世界を生み出し、標準化を多様性で置き換え、個人の幸福や不安といった人間性に由来する強迫観念をテクノロジーによって超越しうる。我々にとって必要なのは、テクノロジーが向かう未来へのビジョンと情熱だ。

西洋哲学が生んだ〈個人〉と〈社会〉、人為と自然、テクノロジーと意味論がもたらしたナイーブな結論を超克し、管理社会と自由意志のジレンマを、レイヤー化した社会の多様性や、非中央集権型のブロックチェーンによって克服せよ。自然の中に、侘や寂を、文化をコンテクストの中で常に自分という計算機資源のルーツを見つめながら、「アート」を作り出していくことが我々にとっての今後の多動の象徴になるだろう。指数関数的世界にとって、微分がもたらす成長への直観は常に「まだ始まったばかり」であり、ビッグバンのような、そして海水の一滴のような多様な複雑性を保ちながら、情報と自然のもたらすエコシステムへの予感に胸を高鳴らせるには、充分だ。

参考文献一覧

1 落合陽一『魔法の世紀』（ＰＬＡＮＥＴＳ、２０１５年）

2 http://gutenberg.spiegel.de/buch/ueber-die-asthetische-erziehung-des-menschen-in-einer-reihe-von-briefen-3355/5（閲覧日　２０１８年5月6日）

3 井筒俊彦『コスモスとアンチコスモス　東洋哲学のために』（岩波書店、１９８９年）

4 橋本敬司「荘子の胡蝶の夢―物化の構造と意味―」（１９９１年）
http://ir.lib.hiroshima-u.ac.jp/ja/00026814（閲覧日２０１８年5月25日）

5 進士五十八「日本庭園におけるAgingの美と意味について」（１９８４年）
https://www.jstage.jst.go.jp/article/jila1934/48/5/48_5_73/_pdf（閲覧日２０１８年4月27日）

6 Mark Weiser, "The Computer for the 21st Century", 1991.

7 【落合陽一：完全解説1．3万字】ポストウェブの技術・社会・仕事（NewsPicks編集部、２０１７年4月25日配信）
https://newspicks.com/news/2202356/（閲覧日２０１８年5月6日）

8 マシュウ・ジョセフソン『エジソンの生涯』（矢野徹、白石佑光、須山静夫翻訳、新潮社、１９６２年）

9 前掲『エジソンの生涯』

10 Thomas A. Edison, "The Phonograph and Its Future" , North American Review, 1878.

11 前掲『エジソンの生涯』

12 "DELIVERY DRONES WILL MEAN THE END OF OWNERSHIP", The Verge, November 8 2016.